Cerflun a saif ger y fynedfa i Goleg y Drindod, Dulyn.
(Llun gan Gwenda Richards.)

RHWNG CYFNOS A GWAWR

Cyfieithiad o

She Stoops to Conquer

Oliver Goldsmith

gan

J. T. Jones

 Y fersiwn Cymraeg: J. T. Jones/Y Ganolfan Astudiaethau Addysg, 1996

ISBN: 1 85644 319 1

Rhaid cael caniatâd ymlaen llaw i berfformio'r ddrama hon.

Anfoner pob cais i'r cyfeiriad canlynol:

Y Ganolfan Astudiaethau Addysg,
Yr Adran Addysg,
Prifysgol Cymru,
Yr Hen Goleg,
Aberystwyth,
Ceredigion
SY23 2AX

RHAGAIR

Fel y tystiodd adolygydd *Y Cymro* ar y pryd yr oedd gwaith Cwmni o fyfyrwyr ac athrawon ifainc o blith Cymry Birmingham yn perfformio '*Rhwng Cyfnos a Gwawr*' yn hen Neuadd y Dref Porthmadog ar nos Sadwrn, Ebrill 9fed, 1955, dan gyfarwyddyd Mrs Gwladys Price, 'yn ddigwyddiad o bwys'.

Ni chaed cyfle erioed o'r blaen tan hynny i weld a chlywed perfformiad yn y Gymraeg o un o gomedïau enwocaf y ddeunawfed ganrif - *She Stoops to Conquer*.

Roedd y cyfieithiad o gampwaith Oliver Goldsmith yn gymwynas arall gan J. T. Jones ac yn ychwanegiad gwerthfawr at y nifer, llawer rhy fychan, oedd ar gael ar y pryd, o ddramâu safonol yn ein hiaith. Ymhlith dramâu Saesneg y ddeunawfed ganrif saif comedi Goldsmith bron ar ei phen ei hun. Cyflwynwyd y perfformiad cyntaf ohoni yn Llundain yn 1773 ac fe erys yn hynod dderbyniol a phoblogaidd hyd y dydd hwn.

Comedi yw hi sy'n dibynnu am ei heffaith ar gyfres o droeon trwstan a'r gwrandawyr yn cael gwybod pob cyfrinach ymlaen llaw. Cychwyn y 'cwlwm' yw tric Tomi Wilkins, mab Mrs Harrison o'i gŵr cyntaf, Mr Wilkins. Mae mab Syr Charles Meurig, y Charles Meurig ifanc a'i gyfaill George Henry, wedi cyrraedd Tafarn-y-Sguthan ar ôl colli eu ffordd i dŷ Mr Harrison, lle gobeithiai Charles ennill llaw Kate Harrison, merch hen ffrind ei dad. Yn y dafarn cwrddant â Tomi Wilkins ac, o glywed am eu picil, mae ef yn eu cyfeirio i dŷ Mr Harrison, ei lystad, ond gan gymryd arno mai tŷ tafarn yw, lle gallant aros dros nos! O hyn daw helynt ar ôl helynt nes datod pob cwlwm yn y diwedd. Dylid ychwanegu, gyda llaw, nad dyna enwau'r cymeriadau yn y Saesneg gwreiddiol chwaith. Fe'u newidiwyd ar gyfer y cyfieithiad.

Dim ond unwaith wedyn y caed perfformiad yn y Gymraeg ohoni, sef *Y Dr*

*John Gwilym Jones wrthi'n cyfarwyddo cynhyrchiad
Ysgol Gyfun Dyffryn Nantlle o'r ddrama yn 1968.*

cynhyrchiad graenus Cymdeithas Ddrama Ysgol Dyffryn Nantlle dan
gyfarwyddyd y diweddar John Gwilym Jones, ym mis Ionawr 1968.

'Ymhlith cewri'r cyfieithu y mae'n rhaid cynnwys Mr J. T. Jones', — dyna
farn Syr Thomas Parry yn ei erthygl 'J. T. Jones — Cyfieithydd a Bardd'
(*Sôn Dynion Amdanynt* — Tŷ ar y Graig, 1975).

Cofir am ei waith yn cyfieithu detholiad o *Don Quixote* gan Cervantes o'r
Sbaeneg, *Y Llanc o Sir Amwythig* gan A. E. Housman ac, yn arbennig, am ei
orchest yn cyfieithu pump o ddramâu William Shakespeare i'n hiaith —
Hamlet, Nos Ystwyll, Marsiandwr Fenis, Romeo a Juliet a *Bid wrth eich
bodd*. Ei gyfieithiad o gomedi afieithus Oliver Goldsmith oedd yr unig un
heb ei chyhoeddi. Wele yn awr unioni'r cam hwnnw.

Wrth nodi mewn rhifyn diweddar o *Theatr* bod cwmnïau amatur a
phroffesiynol fel ei gilydd, ynghyd ag athrawon a disgyblion Adrannau
Drama mewn ysgolion uwchradd a cholegau, yn aml yn mynd y tu allan i

Gymru i chwilio am fodd i gyfoethogi eu cynnyrch dramatig a'u bod yn boenus ymwybodol o'r angen am gyfieithiadau safonol o weithiau estron yr hoffent eu cyflwyno, mae Emyr Edwards yr un pryd yn dangos pa mor bwysig yw bod gennym yng Nghymru gyfieithwyr da y gellir dibynnu ar eu gallu 'i afael yn naws, yn ysbryd, yn arddull, yn rhediad iaith ac yng ngwirionedd y gwreiddiol'. Cyfieithydd o'r calibr hwnnw oedd J. T. Jones.

Yn wir mewn 'Rhagymadrodd' i'w drosiad o *Hamlet* (Cymdeithas Lyfrau Ceredigion, 1960) y mae ef yn datgan bod 'cyfieithu llenyddiaeth yn gelfyddyd greadigol, gyda'i safonau a'i delfrydau arbennig hi ei hun', ac y dylai, 'pob trosiad llwyddiannus o gân neu nofel neu ddrama fod yn greadigaeth newydd ac felly yn ychwanegiad at gynhysgaeth artistig a stôr lenyddol yr iaith y'i troswyd iddi'. Mor wir yw hyn am bob un o'i gyfieithiadau ef ei hun.

* * * * *

Diolchir i'r Ganolfan Astudiaethau Addysg, Prifysgol Cymru, Aberystwyth, dan gyfarwyddyd Mr Glyn Saunders Jones am ddod i'r adwy unwaith yn rhagor i ychwanegu un arall at y stôr gynyddol o gyfieithiadau o'r clasuron sydd bellach ar gael yn y Gymraeg. Cydnabyddir dyled i Mrs Gwladys Price, Porthmadog, hithau am ryddhau o'i gafael y copi teipysgrif prin o'r gwaith a oedd wedi goroesi ac, yn arbennig i Mr Dafydd Ffranklin Jones, Wrecsam a Miss Eirian Jones, Harlech, mab a merch y diweddar J. T. Jones, am roi eu bendith ar y cynllun i ddwyn y gwaith i olau dydd a hynny'n briodol iawn ddim ond ychydig ar ôl inni fod yn dathlu canmlwyddiant yr athrylith o gyfieithydd.

William Owen
Borth-y-Gest
Mai 1996

7

CYMERIADAU

Syr Charles Meurig

Charles Meurig (ei fab)

Mr Harrison

George Henry (ffrind Charles Meurig)

Tomi Wilkins

Roli

Mrs Harrison

Miss Harrison

Miss Ellis

Morwyn

Tafarnwr

Gweision

ACT I

Golygfa 1

Ystafell mewn tŷ hen ffasiwn.

MRS HARRISON: Wel, ar fy llw, Mr Harrison, rydach chi'n greadur od. Mae pawb yn yr ardal ond *ni* yn picio i Lerpwl yn awr ac yn y man i gael tipyn o sglein. Dyna'r ddwy Miss Rees a Mrs Percy - maen nhw'n mynd yno am fis bob gaea'.

MR HARRISON: Ydyn, siŵr, ac yn dod adre' gyda digon o falchder a chysêt i bara gweddill y flwyddyn. Pam na cheidw Lerpwl ei gwegi a'i ffolineb iddi'i hun? Yn f'amser *i* yn ara' deg iawn y dôi rhodres y trefi mawr i'n plith, ond erbyn hyn mae'n teithio'n gyflymach na'r goits fawr. Daw'r lol a'r mursendod atom nid yn unig fel *inside passengers* ond ar ffrynt y cerbyd!

MRS HARRISON: Ie, amser braf oedd eich amser chi. Rydach chi'n clebran amdano fo ers blynyddoedd. A dyma ni - yn byw mewn hen honglad o blasty - y peth tebyca 'rioed i dŷ tafarn, ac yn hollol ddi-gymdeithas. Yr unig ymwelwyr gwerth sôn amdanyn nhw ydi Mrs Morris, gwraig y ciwrad, a Johnson bach y dawnsiwr; a'n hunig ddifyrrwch ydi gwrando ar eich straeon diflas chi am y *Duke o' Malboro*. Mae'r fath awyrgylch hen ffasiwn yn gas gan f'enaid i.

MR HARRISON: Rydw i'n berffaith hapus yma. Mae popeth hen wrth fodd fy nghalon: hen ffrindia', hen ddyddia', hen arferion, hen lyfra', hen win; ac mi wyddoch, Dorothy, *(gan afael yn ei llaw)* mor enbyd o hoff ydw i o'm hen wreigan.

MRS HARRISON: Ara' deg, Mr Harrison; tipyn llai o'r Dorothy a'r hen wreigan yna. Croeso i *chi* fod yn Siôn, ond tydw *i* ddim am fod yn Siân. Tydw i ddim *quite* mor hen ag y mynnwch *chi* 'mod i. Ugain ar ben ugain - faint ydi hynny tybed?

MR HARRISON:	Wel, 'rhoswch chi. Ugain ar ben ugain - dyna hanner cant a saith ar ei ben.
MRS HARRISON:	Celwydd, Mr Harrison. Doeddwn i ddim ond ugain oed pan aned Tomi, mab Mr Wilkins, fy ngŵr cynta'; a dydi o ddim wedi cyrraedd oedran cyfrifol eto.
MR HARRISON:	Nac yn debyg o'i gyrraedd byth. O, rydach chi wedi'i ddysgu o'n dda!
MRS HARRISON:	Dim ots; mae 'na ffortiwn sylweddol yn aros fy mab. Fydd dim angen i Tomi fyw ar ei addysg. Does dim eisiau llawer o ddysg i wario pymtheg can punt y flwyddyn.
MR HARRISON:	Da chi, peidiwch â sôn am ddysg eich mab. Tydi o ddim ond bwndel o gastia' drwg.
MRS HARRISON:	Sbort, Mr Harrison, sbort, a dim byd arall. Dowch, fe ddylech ganiatáu hynny i'r hogyn.
MR HARRISON:	Mi fydda'n haws gen i ganiatáu pastwn ar 'i gefn o. Os sbort ydi llosgi 'sgidia'r gweision, dychryn y morynion a phoeni'r cathod - wel, mae'n gwybod be 'di sbort. Ddoe ddwytha'n y byd fe glymodd fy ngwallt gosod wrth gefn y gadair, a gwneud imi ddangos fy mhen moel yn braf i Mrs Pritchard!
MRS HARRISON:	Wel, pam rydach chi'n deud y drefn wrtha i? Roedd y crwt bob amser yn wanllyd. Mi fasa ysgol yn ddigon i'w ladd o. Pan ddaw o'n dipyn cryfach, pwy ŵyr na fydd blwyddyn neu ddwy o Ladin yn lles mawr iddo fo.
MR HARRISON:	Lladin iddo *fo*? Dyn a'm helpo! Y dafarn a'r stabal ydi'r unig ddwy ysgol iddo *fo*.
MRS HARRISON:	Wel, waeth heb siarad yn sbeitlyd am yr hogyn. Mae gen i ofn na fydd o ddim yma'n hir. Gall pawb weld 'i fod o'n llawn diciâu.

MR HARRISON:	Ydi, mae o - os ydi *pesgi* yn arwydd o hynny.
MRS HARRISON:	Mae o'n *pesychu* weithia'.
MR HARRISON:	Ydi, pan fydd 'i ddiod o'n mynd i lawr y ffordd chwithig.
MRS HARRISON:	Rydw i'n poeni am 'i 'sgyfaint o.
MR HARRISON:	Rydw inna' hefyd. Mae o'n gwichian fel utgorn ambell dro. *(Tomi'n bloeddio tu ôl i'r llen.)* Ie, dyna fo - darfodedigaeth yn bendant.

(Daw Tomi i mewn, yn croesi'r llwyfan.)

MRS HARRISON:	Tomi, ble'r ei di, 'machgen gwyn i? Rho dipyn *bach* o'th gwmni i'th dad a minna'.
TOMI:	Rydw i ar frys, mam, fedra i ddim aros.
MRS HARRISON:	Fy nghariad annwyl i, chei di ddim mentro allan ar noson mor oer. Rwyt ti'n edrych yn llwyd.
TOMI:	Fedra i *ddim* aros, medda' finna'. Maen nhw'n disgwyl amdana i yn Nhafarn-y-Sguthan. Mae 'na sbort yno heno.
MR HARRISON:	Ie, y dafarn, yr hen gynefin. Rown i'n meddwl braidd.
MRS HARRISON:	Hen griw coman.
TOMI:	Nid mor goman. Dyna Dic Morris, yr ecseismon, a Tom Twist sy'n troi'r plât piwtar fel topyn.
MRS HARRISON:	Yn wir, cariad, gwell iti'u siomi nhw am heno.
TOMI:	Faswn i ddim yn meindio'u siomi *nhw*; ond fedra i ddim diodda' fy siomi fy *hun*.
MRS HARRISON:	*Chei di* ddim mynd *(yn ceisio'i rwystro).*

TOMI: Rydw i'n *mynd*, medda' finna'.

MRS HARRISON: Rydw i'n deud na chei di *ddim*.

TOMI: Fe gawn weld pwy ydi'r cryfa'.

(Mae'n gadael, gan ei llusgo allan.)

MR HARRISON: *(Ar ei ben ei hun)* Dyna bâr sy'n gwneud dim ond sbwylio'i gilydd. Ond fel 'na mae hi. Mae'r oes yma'n gwneud 'i gora' i yrru synnwyr a phwyll dros yr hiniog. Dyna fy merch fach, Kate - mae ffasiynau'r oes bron iawn â'i sbwylio hitha'. Wedi treulio blwyddyn neu ddwy yn y dre', mae hi cynddrwg â neb efo'i melfed a'i rhubana'.

(Daw Miss Harrison i mewn.)

MR HARRISON: Kate, fy ngeneth annwyl i. Wedi ymbincio fel arfer! Gwarchod pawb! Y fath lawnder o sidan sydd gennyt o'th gwmpas. Fedra i yn fy myw berswadio'r genhedlaeth hon fod trimins y beilch yn ddigon i ddilladu holl dlodion y byd.

MISS HARRISON: Cofiwch ein cytundeb, syr. Caf y bore i ymweld neu dderbyn ymwelwyr, ac i wisgo fel y mynnaf; a chyda'r nos, gwisgaf fy nillad tŷ i'ch plesio chi.

MR HARRISON: Wel, cofia'r amoda' i gyd; a chyda llaw, mi gaf gyfle i brofi d'ufudd-dod heno nesa'.

MISS HARRISON: Gwarchod ni, syr - beth sydd i ddigwydd?

MR HARRISON: Wel, i siarad yn blaen, Kate, mae'r dyn ifanc a fwriedais yn ŵr iti yn dyfod yma heddiw. Rwy'n ei ddisgwyl unrhyw funud. Cefais lythyr oddi wrth ei dad - yn dweud ei fod eisoes ar y ffordd, a'i fod yntau'n bwriadu ei ddilyn y cyfle cynta'.

MISS HARRISON: Yn wir! Gresyn na chawswn wybod yn gynt. Ach-a-fi! Pa dderbyniad roddaf iddo? Mae'n bosibl na fedra i ddim cymryd ato o gwbl. Mewn cyfarfyddiad mor ffurfiol, mor debyg i fater o fusnes - sut y gallaf deimlo na pharch na hoffter tuag ato?

MR HARRISON: Paid â phryderu, 'merch i; wna i ddim gwthio fy marn arnat; ond mae'r dyn ifanc a ddewisais, sef Mr Meurig yn fab i'm hen gyfaill, Syr Charles Meurig, y clywaist fi'n sôn cymaint amdano. Mae'n ysgolhaig da, a'i olwg ar swydd gyfrifol yng ngwasanaeth ei wlad. Dywedir ei fod yn ŵr ifanc hynod ddeallus.

MISS HARRISON: Felly'n wir?

MR HARRISON: Mae'n haelfrydig dros ben.

MISS HARRISON: Rwy'n *debyg* o'i hoffi.

MR HARRISON: Mae'n ifanc a di-lol.

MISS HARRISON: Rwy'n *siŵr* o'i hoffi.

MR HARRISON: Mae'n hynod landeg yr olwg.

MISS HARRISON: Tada bach, peidiwch â dweud chwaneg: *(yn cusanu ei law)* yr *wyf* yn ei hoffi: fe'i cymeraf.

MR HARRISON: Mwy na'r cwbl, Kate, mae'n un o'r dynion ifanc mwyaf swil a distaw yn wlad.

MISS HARRISON: O! dyna chi wedi fy rhewi i farwolaeth. Mae'r gair 'swil' wedi difetha'r cyfan. "Carwr swil, gŵr drwgdybus", medda' nhw.

MR HARRISON: Fel arall yn union: anfynych y ceir swildod heb gnwd o rinweddau uwch. Dyna'r nodwedd yn ei gymeriad a'm trawodd gyntaf.

13

MISS HARRISON: Mae eisiau nodweddion *mwy* trawiadol i'm swyno i, beth bynnag. Eto i gyd, os yw mor ifanc a glandeg, ac mor bopeth a ddwetsoch, fe wna'r tro. Mi fentraf ei gymryd.

MR HARRISON: Ie, Kate - ond mae 'na *un* anhawster. Beth petai *o* yn anfodlon arnat *ti*?

MISS HARRISON: Tada bach, peidiwch â'm sarhau fel yna! Wel, os caf fy ngwrthod, yn lle torri fy nghalon o'i blegid, mi dorraf y drych sy'n gwenieithio imi, gwisgo fy nghap mewn dull mwy *up-to-date* a chwilio am ddyn fydd yn haws ei blesio.

MR HARRISON: Penderfyniad rhagorol! Yn y cyfamser, af innau i baratoi'r gweision i'w dderbyn. Mae mwy o waith dysgu arnynt nag ar blatŵn o filwyr anystywallt a thwp.

(Â allan.)

MISS HARRISON: *(Yn ymson)* Wel, wedi clywed y newydd yna gan fy nhad, rwy'n gyffro i gyd. "Ifanc a glandeg" - roedd y rhain yn olaf ganddo *ef*, ond nhw sy gynta gen *i*. "Deallus a hael" - mae hynny'n burion peth: ond "distaw a swil" - dyna sbwylio'r cwbl. Ac eto, tybed na ellir tynnu'r swildod allan ohono, a pheri iddo fod yn falch o'i wraig? A thybed na fedrwn i ... Ond, twt, rwy'n trafod y gŵr cyn cael gafael ar y cariad.

(Daw Miss Ellis i mewn.)

MISS HARRISON: Mae'n dda gen i dy weld di Nesta. Dywed i mi, sut rydw i'n edrych heno? Ydi popeth yn ei le? Ydi 'ngwyneb i'n iawn? Ydw i'n raenus fy ngwedd?

MISS ELLIS: Perffaith, hogan? Ond eto, o edrych yn fanwl - sobrwydd - does bosibl fod damwain wedi digwydd i'r *canary* neu'r *gold-fish*? Fu dy frawd neu'r gath yn dy blagio? Neu a yw'r nofel ddiwethaf a ddarllenaist yn rhy gyffrous?

14

MISS HARRISON:	Na, dim byd o'r fath. Fe'm bygythiwyd - fedra i prin fynd ymlaen - fe'm bygythiwyd - â chariad.
MISS ELLIS:	A'i enw -
MISS HARRISON:	Mr Meurig.
MISS ELLIS:	Diar mi!
MISS HARRISON:	Mab Syr Charles Meurig.
MISS ELLIS:	Wel, ar fy ngwir - cyfaill fy nghariad inna', Mr Henry. Mae'r ddau'n ffrindia' mynwesol. Fe'i gwelaist, bid siŵr, pan oeddem yn y dref, dro'n ôl.
MISS HARRISON:	Naddo, 'rioed.
MISS ELLIS:	Wel, mae o'n gymeriad ar 'i ben 'i hun. Ymhlith merched o rinwedd a safle, mae'n swiliach na neb yn y byd; ond tydi o ddim *mor* swil gyda chreaduriaid o stamp gwahanol, os wyt ti'n deall.
MISS HARRISON:	Cymeriad od, ar fy ngwir. Fedra i wneud dim ohono fo. Beth wna i? Twt, peidio meddwl amdano fo ydi'r gora', ac wynebu'r amgylchiadau fel y dôn nhw. Ond rŵan, hogan, beth sy'n digwydd yn d'achos *di*? Ydi fy mam yn dal i geisio dy gael di a Tomi fy mrawd i ddallt eich gilydd?
MISS ELLIS:	Mae hi a minna' newydd gael un o'r *tête-à-têtes* arferol. D'wedodd gant a mil o bethau clên wrthyf, a darlunio'i bwystfil bach annwyl fel rhosyn perffeithrwydd.
MISS HARRISON:	Mae hi'n meddwl y byd ohono fo. Mae dy ffortiwn ditha'n demtasiwn go fawr iddi. Heblaw hynny, gan fod dy gyfoeth wedi'i ymddiried i'w gofal hi, mae'n naturiol iddi geisio rhwystro hwnnw rhag mynd allan o'r teulu.

MISS ELLIS: Tydi dy ffortiwn di - tipyn o berlau a gemau - yn fawr o demtasiwn i neb. Sut bynnag, os deil fy annwyl Henry'n ffyddlon, rwy'n siŵr o'i threchu yn y diwedd. Yn y cyfamser, gadawaf iddi dybio fy mod mewn cariad â'i mab. Tydi hi fawr o feddwl bod fy nghalon yn eiddo dyn arall!

MISS HARRISON: Mae 'mrawd, chwarae teg iddo, yn cicio'n galed yn erbyn y symbylau. Rwy'n dotio at y ffordd y mae o'n mynnu dy gasáu!

MISS ELLIS: Ydi, mae o'n eitha' clên yn y bôn; ac rwy'n siŵr y byddai'n well gen titha' imi briodi unrhyw un ond Tomi. Ha, dyna gloch fy modryb yn canu; mae'n amser mynd am dro o amgylch yr *improvements*. *Allons!* Rhaid bod yn ddewr; rydym ein dwy mewn argyfwng.

MISS HARRISON: *"Would it were bed-time, and all were well."*

(Ânt allan.)

16

Golygfa 2

Ystafell mewn tŷ tafarn. Amryw ddynion dilewyrch, gyda phwnsh a thybaco.
Tomi wrth ben y bwrdd, ychydig yn uwch na'r gweddill, a gordd yn ei law.

PAWB: Hwrê! Hwrê! Hwrê! Bravo!

CWSMER (1): Rŵan, fon'ddigion, gosteg am gân. Mae'r sgweiar yn mynd i'w daro'i hun i lawr am gân.

PAWB: Ie, cân, dowch â chân.

TOMI: O'r gora', fon'ddigion, cewch glywed cân o 'ngwaith fy hun i'r tŷ hwn - Tafarn-y-Sguthan.

CÂN:
Mae pennau'r 'sgolheigion yn llawn
   O nonsens a dysg a gramadeg;
Ond diod *first class*, debyg iawn,
   Sy'n llesol i ddyn ar bob adeg.
Dyw'r bobol sy'n clebran mor od, -
   Am Lethe a'r Styx a'r Stygianod,
Am y Qui, am y Quae, am y Quod,
   Fawr gwell, ar fy llw, na 'sguthanod.
Torodl, torodl, torol.

Pan ddaw'r Methodistiaid i'r fro
   I'n dysgu bod yfed yn bechod,
Cânt hwyl ar bregethu bob tro
   Pan fyddant yn orlawn o ddiod.
Os tefli dy geiniog i lawr
   Am sleisen o grefydd anniddan,
Rwy'n mentro d'wedyd yn awr -
   Tydi, gyfaill hoff, fydd y 'sguthan.
Torodl, torodl, torol.

Wel, yfwn yn hwyliog a hy,
A chanwn yn hapus a chlefar:
Mae'r galon a'r ddiod yn gry':
Hen Dafarn-y-Sguthan ffor-efar!
Ac felly, canmoled a fyn
Gyffylog, hwyaden a mulfran:
Cawn ninnau gydganu fel hyn -
Hwrê! i hen Dafarn-y-Sguthan.
Torodl, torodl, torol.

PAWB: Bravo, bravo!

CWSMER (1): Mae'r sgweiar yn ganwr heb 'i fath.

CWSMER (2): Rydw i wrth fy modd yn gwrando arno. Tydi o byth yn canu'n goman.

CWSMER (3): O, 'mhell y bo'r canu coman: fedra i ddim aros y fath beth!

CWSMER (4): Canu *genteel* piau hi bob cynnig - a rhoi bod y canwr yn
ŵr bonheddig boneddigaidd.

CWSMER (3): Eitha' gwir, Mostyn. Er mai dysgu eirth i ddawnsio yw fy ngwaith, mi fedra inna' fod yn ŵr bonheddig. Gwae fi os na ddysgaf bob arth i 'nabod tonau *genteel* fel 'Bys Meri Ann' a 'Minuet Ariadne'.

CWSMER (4): Biti fod y sgweiar heb ddŵad i'w oed: mi fasa'n fendith i bob tafarnwr o fewn deng milltir.

TOMI: Rwyt ti'n iawn, Siâms. Câi pobol weld wedyn beth yw cadw cwmni da.

CWSMER (2): O, mae o'n fab ei dad i'r dim. Yr hen Sgweiar Wilkins oedd y gŵr bonheddig gora' welis i 'rioed â'm llygid. Am ganu'r corn hela a churo twmpath am sgwarnog neu lodes, doedd mo'i debyg o. Roedd o'n medru trin ceffyla' a chŵn a merched yn well na neb yn y sir.

18

TOMI:	Ac felly y bydda' inna' pan gyrhaedda' i f'oed. Rwyf eisoes â'm llygad ar Begw Baset, ac ar ferlan las y melinydd. Ond dowch, hogia', yfwch a byddwch lawen, achos nid chi fydd yn talu'r bil. Wel, Stingo, be' di'r mater?

(Daw'r Tafarnwr i mewn.)

TAFARNWR:	Mae 'na ddau fonheddwr mewn cerbyd wrth y drws. Maen nhw wedi colli eu ffordd yn y coed, ac yn siarad am Mr Harrison.
TOMI:	Cyn sicred â'r byd, y bonheddwr sydd â'i lygad ar fy chwaer ydi un o'r ddau. Ydyn nhw'n debyg i ddynion o Lerpwl?
TAFARNWR:	Faswn i'n synnu dim: maen nhw'n edrych yn rêl byddigions.
TOMI:	Os felly, gwahoddwch nhw i mewn: mi ro i nhw ar ben y ffordd mewn chwinciad. *(Mae'r Tafarnwr yn gadael.)* Fon'ddigion, rhag ofn nad ydyn nhw ddim yn haeddu cwmpeini fel chi, ewch o'r golwg am eiliad - mi ddof atoch mewn hanner dau funud.

(Mae pawb yn gadael.)

TOMI:	Mae fy llystad wedi bod yn ddigon sbeitlyd ohona i ers misoedd, a rŵan dyma gyfle i ddial ar yr hen gorgi. Ond wedyn - mae gen i ofn - wel, ofn beth? Byddaf yn werth mil a hanner y flwyddyn cyn bo hir; caiff yntau fy nychryn allan o hynny - os medar o!

(Daw'r Tafarnwr i mewn, gyda Meurig a Henry.)

MEURIG:	Y fath ddiwrnod annifyr a gawsom! Dywedwyd wrthym mai siwrnai o ddeugain milltir ar draws gwlad oedd o'n blaenau, a dyma ni wedi teithio mwy na thrigain yn barod.

HENRY:	A'r cyfan, Meurig, o achos dy swildod bondigrybwyll di, yn fy rhwystro rhag holi pobl am y ffordd.
MEURIG:	Rwy'n addef, Henry, nad wyf yn chwannog i'm gwneud fy hun yn ddyledwr i bawb y digwyddaf ei gyfarfod, a mentro cael ateb anghwrtais.
HENRY:	Ar hyn o bryd, beth bynnag, nid ydym yn debyg o gael ateb o *unrhyw* fath.
TOMI:	*No offence,* fon'ddigion, ond rwy'n dallt eich bod yn holi am ryw Mr Harrison. Wyddoch chi ym mha bart o'r wlad yr ydych?
HENRY:	Dim syniad, syr, ond byddem yn falch o gael gwybod.
TOMI:	Na'r ffordd y daethoch yma chwaith?
HENRY:	Dim amcan o gwbl, syr; ond os gellwch ddweud wrthym -
TOMI:	Wel yn wir, fon'ddigion, os na wyddoch chi i ble rydach chi'n mynd, nac ymhle'r ydach chi'n awr, na'r ffordd y daethoch chi - y peth cynta' ddweda i wrthych ydi hyn - rydach chi wedi colli'r ffordd.
MEURIG:	Doedd eisiau'r un drychiolaeth i ddweud hynny wrthym.
TOMI:	Atolwg, fon'ddigion, gâ i fod mor bowld â gofyn o ble ddaru chi gychwyn?
MEURIG:	Prin y mae angen gwybod hynny i fedru dweud wrthym ffordd i fynd.
TOMI:	Popeth yn dda; ond mae cwestiwn am gwestiwn yn eitha' teg, wyddoch. Deudwch i mi, onid rhyw hen gingroen anghynnes a hen ffasiwn ydi'r Harrison hwn, a chanddo ferch ac un mab - a hwnnw'n bur landeg?

HENRY:	Ni welsom Mr Harrison erioed, ond mae ganddo'r teulu a nodwch.
TOMI:	Y ferch yn hoeden dal, siaradus, anodd ei thrin a'r mab yn llanc golygus, rhadlon a dymunol, a phawb yn hoff ohono fo?
MEURIG:	Fel arall yn union y clywson ni. Mae'r ferch, fe ddywedir, yn foesgar a phrydferth, a'r mab yn benbwl afrosgo, wedi'i sbwylio gan ei fam.
TOMI:	Hy - hy - hym! - Os felly, fon'ddigion, y cwbl fedra i 'i ddweud wrthych ydi hyn! - tydach chi ddim yn debyg o gyrraedd tŷ Mr Harrison heno, yn fy marn *i*.
HENRY:	Anffodus iawn!
TOMI:	Mae'r ffordd yn hir a thywyll, yn gorsiog, budur a pheryglus. Stingo, dangos i'r bon'ddigion y ffordd i dŷ Mr Harrison *(yn wincio ar y Tafarnwr)*. Tŷ Mr Harrison, Pant-y-Siglen Ddu, wyt ti'n dallt.
TAFARNWR:	Tŷ Mr Harrison! Ar f'engoch i, ffrindia', rydach chi wedi ramblo 'mhell o'ch ffordd. Pan ddaethoch i waelod yr allt, fe ddylsech fod wedi troi i lawr y Lôn Laith.
MEURIG:	Lawr y Lôn Laith!
TAFARNWR:	A mynd ymlaen ar eich union nes cyrraedd y pedair croesffordd.
MEURIG:	Cyrraedd y pedair croesffordd?
TOMI:	Ie, a chofio cymryd dim ond un o'r pedair.
MEURIG:	O, syr, rydych yn 'smalio.
TOMI:	Wedyn, dal i'r dde, a symud ar letraws nes cyrraedd

Gwaun y Benglog. Wedyn, chwiliwch am ôl y trolia',
ac ymlaen nes cyrraedd 'sgubor Dic Myrddin. Troi i'r
dde wrth y 'sgubor, ac wedyn i'r chwith, ac yna troi'n
sydyn i'r dde nes gweld yr hen felin -

MEURIG: Ddyn glân! fasa waeth inni geisio mynd i'r lleuad!

HENRY: Beth wnawn ni, Meurig?

MEURIG: Golwg anaddawol dros ben sydd ar y tŷ hwn; ond
dichon y gallai'r landlord ein lletya.

TAFARNWR: Mae'n wir ddrwg gen i, syr; does dim ond un gwely'n
sbâr yn y tŷ.

TOMI: Ac mi wn i fod yna dri lletywr wedi dewis hwnnw
eisoes. *(Wedi ennyd o ddistawrwydd, ac arddangosiad o
benbleth poenus gan y lleill.)* Ond gwrandwch; fedra'
gwraig y tŷ 'ma ddim gwneud lle i'r bon'ddigion wrth
ochr y tân, Stingo, efo tair cadair a gobennydd?

HENRY: Mae'n gas gennyf gysgu wrth y tân.

MEURIG: Mae'n gas gennyf innau'r tair cadair a gobennydd.

TOMI: Felly'n wir, felly'n wir. Wel, 'rhoswch funud bach -
beth am fynd filltir ymhellach, i Dafarn Pen Carw, yr
hen Ben Carw ar y bryn, un o'r tafarndai gorau yn y sir?

HENRI: Diolch byth! Cawn ddianc rhag antur anhyfryd am heno
beth bynnag.

TAFARNWR: *(O'r neilltu, wrth Tomi)* Tydach chi ddim yn 'u
cyfeirio nhw i dŷ eich tad fel tae o'n dŷ tafarn, does
bosib?

TOMI: Taw, y creadur. Gad iddyn *nhw* ffeindio hynny allan.
(Wrthynt hwy) Does dim ond eisiau ichi fynd ymlaen ar
eich union nes cyrraedd tŷ mawr hynafol yr olwg ar
ochr y ffordd. Cewch weld pâr o gyrn ceirw mawr

uwchben y drws. Dyna'r sein. Dreifiwch i fyny'r
buarth a gwaeddwch yn uchel am dendans.

HENRI: Syr, rydym yn wir ddiolchgar ichwi. Ond beth petai'r
gweision yn colli'r ffordd?

TOMI: Does dim peryg; ond mi ddeuda i hyn wrthych - mae
gŵr y Pen Carw'n gyfoethog, ac ar fin rhoi'r gorau i'r
busnes; ac mae o'n lecio cael 'i ystyried yn ŵr
bonheddig - ha! ha! ha! Mi fydd yn mynnu gwthio'i
hun i'r cwmni - ac - wel - os gwrandwch chi arno fo, mi
wnaiff 'i ora' i'ch perswadio bod ei fam yn alderman a'i
fodryb yn ustus heddwch.

TAFARNWR: Hen granci busneslyd twbi-shŵar: ond mae o'n cadw
cystal gwin a chystal gwlâu â neb yn y wlad.

MEURIG: Wel, os cawn ni'r rheiny, medrwn hepgor adnabyddiaeth
lwyrach. Troi i'r dde; ai felly y dywetsoch?

TOMI: Nac e, yn syth yn eich blaen. Mi ddo' i hefo chi gam
neu ddau. *(Wrth y Tafarnwr)* Taw piau hi!

TAFARNWR: Ha! bendith arnoch chi, y mowrddrwg bach, castiog!

23

ACT II

Tŷ mawr hen ffasiwn.
Daw Mr Harrison i mewn, a thri neu bedwar o weision trwstan yn ei ddilyn.

MR HARRISON: Wel, rydw i'n gobeithio eich bod yn cofio'r gwersi a gawsoch yn ystod y tridia' dwytha' 'ma. Gwyddoch eich lleoedd a'ch swyddi, fel petaech wedi hen arfer â chwmni crand, er na fuoch erioed gam oddi cartref.

GWEISION: Gwyddom, syr.

MR HARRISON: Pan ddaw'r bobol ddiarth at y tŷ, peidiwch â rhedeg allan i rythu, a rhedeg yn ôl drachefn fel haid o gwningod wedi dychryn.

GWEISION: Dim peryg, syr.

MR HARRISON: Rŵan, Roli, anghofia bob peth am y 'sgubor, a chofia actio'n weddus wrth y bwrdd ochor; a thitha', Guto, anghofia bob peth am yr arad, a saf yn syth tu ôl i'r gadair fawr. Ond paid â sefyll fel yna, â'th ddwylo yn dy bocedi. Tyn dy ddwylo o'r pocedi 'na, y penbwl! Edrych ar Roli, mae o'n dal ei ddwylo'n iawn. Dipyn bach yn rhy stiff, hwyrach, ond fe wna'r tro.

ROLI: Ie, sylwa arna i. Mi ddysgais *i* ddal fy nwylo fel hyn pan oeddwn i yn y milisia: ac felly, wrth ddrilio -

MR HARRISON: Roli, rwyt ti'n clebran gormod. Rhaid i ti a'r lleill roi'ch holl sylw i'r bobol ddiarth. Cewch glywed y sgwrs, ond peidiwch â meddwl am siarad eich hunain. Cewch weld yr yfed, ond peidiwch â dyheu am gael yfed eich hunain. Cewch *syllu* ar y bwyta, ond peidio â chwennych cael bwyta eich hunain ar unrhyw gyfrif.

ROLI: Twt, chwarae teg, syr: mae peth felly yn amhosib'. Pan fydd Roli'n gweld criw o bobol yn gwledda mae o wastad yn awchu am gegiad.

24

MR HARRISON:	Y lolyn! Mae llond bol yn y *gegin* cystal bob tipyn â llond bol yn y *parlwr!* Os cofiwch chi hynny, bydd popeth yn iawn.
ROLI:	Diolch yn fawr, syr; mi geisia *i* dawelu fy stumog efo sleisen o gig mochyn yn y pantri.
MR HARRISON:	Roli, rwyt ti'n siarad gormod! A rŵan, os digwydda' i ddweud rhywbeth go dda, neu adrodd stori go ddigri, peidiwch â dechra' chwerthin fel tasa' chi'n rhan o'r cwmni.
ROLI:	O'r gora', syr; ond peidiwch â deud y stori am yr hen Ffowcs yn y barics. Rydw i'n siŵr o chwerthin os clywa i honno - ha! ha! ha! - ydw, 'tawn i'n marw. Rydan ni wedi chwerthin am honno ers mwy nag ugain mlynedd - ha! ha! ha!
MR HARRISON:	Ha! ha! ha! Mae hi'n stori anfarwol. Wel, Roli bach, mi gei ganiatâd i chwerthin am ben honno; ond peidiwch ag anghofio'ch dyletswydda'. Tybiwch fod un o'r cwmni'n galw am lasiad o win, sut y basach chi'n gneud? Glasiad o win, syr, os gwelwch chi'n dda. *(Wrth Roli)* Hai, pam na symudi di, dywed?
ROLI:	O, syr, does gen i ddim calon i actio nes gweld y bwydydd a'r diodydd ar y bwrdd - ond wedyn rydw i'n siŵr o actio fel llew.
MR HARRISON:	Wel, oes yna neb ohonoch chi am symud?
GWAS (1):	Tydw *i* ddim am adael fy lle.
GWAS (2):	Ac nid fy ngwaith inna' ydi symud o gwmpas.
GWAS (3):	Na finna', chwaith.
ROLI:	Nid fy lle i ydi o, yn reit siŵr.

MR HARRISON:	Y ffyliaid hurt! Tra byddwch chi'n cweryla am eich lleoedd, rhaid i'r bobol ddiarth newynu, mae'n debyg! O! y penbyliaid! Rhaid mynd dros y wers o'r cychwyn eto. Ond, clywch - dyna sŵn cerbyd yn yr iard! I'ch lleoedd, y ffyliaid. Af inna' i'r drws i estyn croeso i fab fy hen gyfaill.

(Â Mr Harrison allan.)

ROLI:	Yr achlod, does gen i ddim syniad lle'r ydw i i fod.
GWAS (1):	Na finna', chwaith.
GWAS (2):	Tydw *i* ddim i fod yn unlle: mi â i allan am fy mywyd!

(Mae'r Gweision yn gadael, yn rhedeg o gwmpas fel pethau gwyllt. Daw Gwas i mewn gyda channwyll, yn arwain Meurig a Henry.)

GWAS:	Croeso, fon'ddigion, croeso mawr! Dowch ymlaen.
HENRY:	Wedi holl anghysuron y dydd, Charles, diolch byth am 'stafell go lanwaith, a thân go siriol. Tŷ cysurus, ar fy llw - hynafol, ond hwylus.
MEURIG:	Tynged arferol hen blasty. Wedi gwneud ei berchen yn fethdalwr o achos y costau, fe'i troir o'r diwedd yn dŷ busnes neu'n dŷ tafarn.
HENRY:	Ac fe'n trethir ni'r fforddolion i dalu am yr holl addurn 'ma. Llawer tro y gwelais i hen *side-board* go dda, neu hen fantl-pîs marbl yn chwyddo'r cyfrif yn ddychrynllyd, er nad oedd sôn amdano yn y bil.
MEURIG:	Y *teithwyr* sy'n talu ym mhob man, George; yr unig wahaniaeth yw hyn - mewn tafarnau go dda rhaid iddynt dalu'n ddrud am y moethau, ac mewn tafarnau gwael, cânt eu pluo a'u newynu i'r eithaf.
HENRY:	Ie, rwyt *ti* wedi byw llawer iawn ynddynt. Yn wir, byddaf yn synnu dy fod ti, sydd wedi gweld cymaint ar

y byd, gyda'th synnwyr cyffredin naturiol, a'th gyfleusterau mynych, wedi magu cyn lleied o wroldeb a hunan-hyder.

MEURIG: Swildod arferol y Cymro, fachgen! Ond dywed i mi, George, pa gyfle a gefais i fagu'r hunan-hyder y sonni amdano? Rwyf wedi treulio 'mywyd bron i gyd mewn coleg neu dafarn, wedi fy neilltuo oddi wrth y rhyw deg - yr adran brydferth honno o'r greadigaeth sy'n gyfrifol am ddysgu hunan-hyder i ddynion. Nid wyf yn cofio 'mod i 'rioed yn fy mywyd wedi cael cyfle i gyfathrachu'n iawn ag unrhyw ferch wylaidd - ac eithrio fy mam. Ond gyda merched o deip arall, fel y gwyddost -

HENRY: O, ymhlith y rheiny rwyt yn ddigon huawdl, beth bynnag.

MEURIG: Maent hwy mor wyneb-galed â ni'r dynion, fel y gwyddost.

HENRY: Ond pan fyddi gyda merched o safle ac urddas, welais i neb mor hurt ac ofnus â thi. 'Radeg honno rwyt fel pe'n dyheu am gyfle i ddianc o'r ystafell.

MEURIG: Ond fachgen, rwyf felly am fy *mod,* mewn gwirionedd, yn dyheu am ffoi o'r ystafell. Yn wir, rwyf ganwaith wedi penderfynu torri'r iâ, a herio popeth, doed a ddelo: ond rywsut, dwn i ddim pam, mae un edrychiad gan bâr o lygaid tlws yn lladd fy mhenderfyniad bob tro. Gall dyn digywilydd ffugio bod yn wylaidd, ond choelia i ddim fod modd i ddyn gwylaidd ffugio bod yn ddigywilydd.

HENRY: Pe medrit ddweud wrth ferch barchus hanner y pethau canmoliaethus a bentyrri ar y *barmaids* mewn tai tafarn neu'r morynion yn y Coleg -

MEURIG: Ond George annwyl, ni *allaf* ddweud pethau canmoliaethus wrthynt: maent yn fy rhewi'n gorn.

27

Mae'n ddigon hawdd eu cyffelybu i gomed, neu fynydd tân, neu rywbeth diniwed o'r fath; ond i mi, merch wylaidd wedi ymwisgo'n ei holl ogoniant yw'r gwrthrych mwyaf ofnadwy yn yr holl greadigaeth.

HENRY: Ha! ha! ha! Os felly, sut byth y gelli feddwl am briodi o gwbl?

MEURIG: Fedra i byth, os na chaf innau, fel brenin neu dywysog, rywun i garu yn fy lle. Pe'm cyflwynid, fel pennaeth dwyreiniol, i ferch nas gwelais erioed, gallwn wneud rhywbeth ohoni. Ond mae meddwl am wynebu treialon carwriaeth ffurfiol, a dal pen rheswm efo rhyw fodryb neu nain a chyfnither, ac wedyn ebychu'r hen gwestiwn - "Madam, a wnewch chwi fy mhriodi?" - O, mae'n ormod o straen ar greadur fel fi.

HENRY: Mae'n ddrwg gennyf drosot. Ond sut y bwriedi ymddwyn at yr eneth y daethost ar gais dy dad i'w chyfarfod?

MEURIG: Fel at bob geneth arall, am wn i; gwyro'n ostyngedig o'i blaen, ac ateb ie neu nace i'w holl gwestiynau. Ond, a dweud y gwir, prin y gallaf fentro edrych yn ei hwyneb o gwbl.

HENRY: Rwy'n methu deall sut y gall un sy'n gyfaill mor rhagorol fod yn garwr mor ddi-asgwrn-cefn.

MEURIG: I siarad yn blaen, Henry annwyl, fy ngwir amcan yn dyfod oedd hyrwyddo d'achos *di,* ac nid f'achos fy hun. Mae Miss Ellis yn hoff ohonot, ac nid yw'r teulu'n dy 'nabod. Fel cyfaill i *mi,* rwyt yn siŵr o dderbyniad croesawus.

HENRY: Fy Meurig annwyl! Ond - mi guddiaf fy nheimladau. Taswn i'n gnaf annheilwng, yn ymwingo am gyfoeth ac eiddo, tydi fyddai'r olaf yn y byd y ceisiwn ei gymorth. Ond Miss Ellis ei hun yw'r cwbl a ddymunaf, ac y mae'n eiddo imi o'i gwirfodd (ei hun) a thrwy gydsyniad ei diweddar dad.

MEURIG:	Rwyt yn lwcus! Mae gennyt ddawn i rwydo unrhyw eneth. Ond amdanaf fi - er fy mod yn addolir'r rhyw deg, ni allaf siarad â neb ond y rhai salaf ohonynt. O achos yr atal-dweud yma, a'r olwg ofnus ac annifyr sydd arnaf, ni feiddiaf godi fy llygaid at neb uwch na lodes siop ddillad, neu forwyn ffarm. Yr achlod - dyma'r creadur dyn yna'n dyfod i fusnesa.

(Daw Mr Harrison i mewn.)

MR HARRISON:	Fon'ddigion, croeso unwaith eto. P'run yw Mr Meurig? Syr, - y croeso mwyaf calonnog. Nid fy arfer, chwi welwch, yw derbyn cyfeillion â'm cefn at y tân. Gwell gennyf eu croesawu'n anrhydeddus yn y porth a gweld bod y ceffylau a'r *luggage* yn cael sylw.
MEURIG:	*(O'r neilltu)* Cafodd wybod ein henwau gan y gweision, mae'n debyg. *(Wrtho ef)* Gwerthfawrogwn eich gofal a'ch derbyniad, syr. *(Wrth Henry)* Credaf, George, mai da fyddai inni newid ein dillad trafaelio yn y bore. Mae gen i gywilydd o'r rhain.
MR HARRISON:	Rwy'n erfyn arnoch, Mr Meurig, peidiwch â bod yn gysetlyd yn y tŷ hwn.
HENRY:	Wel, ie, Charles, rwyt yn llygad dy le. Yr ergyd gyntaf yw hanner y frwydr. Bwriadaf ddechrau'r ymgyrch yn y dillad gwyn a melyn.
MR HARRISON:	Mr Meurig - Mr Henry - fon'ddigion - peidiwch â phryderu mewn unrhyw fodd yn y tŷ hwn. Dyma "Liberty Hall", fon'ddigion. Cewch wneud fel y mynnoch yma.
MEURIG:	Ac eto, George, os dechreuwn yr ymgyrch yn rhy ffyrnig, gallwn fod yn brin o *gad-ddarpar* cyn y diwedd. Gwell fyddai cadw'r brodwaith ar gyfer y *retreat*.
MR HARRISON:	Mae'r sôn am *retreat*, Mr Meurig, yn gwneud imi gofio am y *Duke of Marlborough* yn ystod gwarchae *Demain*.

	Y peth cyntaf a wnaeth oedd anfon am y garsiwn -
MEURIG:	Wyt ti ddim yn meddwl y byddai'r wasgod *ventre d'or* yn edrych yn dda gyda'r brown plaen?
MR HARRISON:	Anfonodd yn gyntaf oll am y garsiwn, yn cynnwys rhyw bum mil o ddynion -
HENRY:	Na, nid wyf yn credu y byddai: prin y gall brown a melyn gyd-fynd â'i gilydd.
MR HARRISON:	Ie, fon'ddigion, fel y dwedais i, fe anfonodd am y garsiwn, yn cynnwys rhyw bum mil o ddynion -
MEURIG:	Mae merched yn hoffi addurniadau.
MR HARRISON:	Yn cynnwys rhyw bum mil o ddynion, gyda digonedd o stôr adnoddau saethu, ac offer rhyfel o bob math. Rŵan, meddai'r *Duke of Marlborough* wrth George Brookes, a safai gerllaw, mi rof fy stâd yn y pôn os na fedra i gipio garsiwn y gelyn heb golli diferyn o waed. Ac felly -
MEURIG:	O'r gorau, gyfaill, pe caem lasiad o bwnsh gennych yn y cyfamser, medrem gario 'mlaen â'r gwarchae'n fwy egnïol.
MR HARRISON:	Pwnsh, syr! *(O'r neilltu)* Dyma'r swildod rhyfeddaf a welais yn fy mywyd!
MEURIG:	Ie, syr, pwnsh. Byddai glasiad o bwnsh cynnes, wedi'r fath siwrnai, yn dra derbyniol. Dyma *Liberty Hall* - os cofiwch!
MR HARRISON:	Dyma ichwi wydraid, syr.
MEURIG:	*(O'r neilltu)* Yn *Liberty Hall* y brawd yma chawn-ni ddim ond yr hyn sy'n hwylus iddo fo'i hun.
MR HARRISON:	*(Yn cymryd gwydraid)* Byddwch yn ei hoffi, gobeithio.

Rwyf wedi ei baratoi â'm dwylo fy hun, a chredaf y cytunwch fod y ddiod yn burion. A fyddwch cystal ag yfed iechyd da imi, syr? Yfaf hwn, Mr Meurig, i'n hadnabyddiaeth agosach. *(Mae'n yfed.)*

MEURIG: *(O'r neilltu)* Rhyw greadur wyneb-galed yw hwn! Ond mae o'n dipyn o gymeriad, a gwell inni stwytho ychydig. Syr, iechyd da ichwi. *(Mae'n yfed.)*

HENRY: *(O'r neilltu)* Mae'r creadur am wthio'i gwmnïaeth arnom. Mae'n anghofio mai tafarnwr ydyw - a dyn heb ddysgu bod yn fonheddwr.

MEURIG: A chwithau'n gwerthu diod mor dda, syr, mae'n debyg bod gennych fusnes helaeth yn y rhan yma o'r wlad. Gwaith digon chwyslyd weithiau, adeg lecsiwn, mae'n siŵr.

MR HARRISON: O, syr, rwyf wedi rhoi'r gorau i bethau felly, wedi i'r "bobl fawr" gael y syniad o ethol ei gilydd, does gennym "ni'r werin" ddim rhan yn y busnes.

HENRY: Nid ydych yn malio fawr am *bolitics,* mi welaf.

MR HARRISON: Dim o gwbl. Fe fu amser, mae'n wir, pan ymboenwn, fel eraill, ynghylch camgymeriadau'r llywodraeth; ond wrth fy ngweld fy hun yn dal i ddigio mwy o ddydd i ddydd, a'r llywodraeth yn dal i waethygu, mi benderfynais adael rhyngddyn-*nhw* â'u potes ... Beth gymerwch chi'n awr, syr?

HENRY: Ac felly, rhwng bwyta i fyny grisiau ac yfed i lawr grisiau, croesawu cyfeillion y tu mewn a'u diddori y tu allan, mae bywyd yn brysurdeb hyfryd i chwi.

MR HARRISON: Rwy'n ddyn digon prysur, mae'n siŵr. Fe setlir y rhan fwyaf o broblemau'r plwy' yn y parlwr hwn.

MEURIG: *(Ar ôl yfed)* Ac mae'r ddiod sydd gennych, hen gyfaill, yn well na dim sydd ganddynt yn Westminster.

MR HARRISON:	Ie, ŵr ifanc, ond cael tipyn o athroniaeth gydag ef.
MEURIG:	*(O'r neilltu)* Wel, dyma'r tro cyntaf imi glywed am athroniaeth tafarnwr.
HENRY:	Ac felly, fel *general* profiadol, rydych yn gwasgu arnynt o bob cyfeiriad. Os cewch fod eu rheswm yn hydrin, mae gennych athroniaeth wrth law. Os cewch eu bod heb reswm o gwbl, mae gennych dipyn o *hwn* (y ddiod) ar eu cyfer. Wel, iechyd da ichwi, athronydd. *(Mae'n yfed.)*
MR HARRISON:	Da iawn, ha! ha! Mae'r sôn am *general* yn gwneud imi feddwl am y Tywysog Ewgene pan ymladdai â'r Tyrciaid ym mrwydr Belgrade. Fel hyn yr oedd hi -
MEURIG:	Yn hytrach na sôn am frwydr Belgrade, onid gwell fyddai paratoi swper? Beth sydd gan eich athroniaeth i'w gynnig y ffordd honno?
MR HARRISON:	Swper, syr? *(O'r neilltu)* Y fath awgrym digywilydd i ddyn yn ei dŷ ei hun!
MEURIG:	Ie, swper, syr. Mae f'archwaeth yn deffro. Mi wnaf lanast ar y bwydydd heno, cewch weled.
MR HARRISON:	*(O'r neilltu)* Dyma'r corgi mwyaf digywilydd a welais erioed. *(Wrth Meurig)* Wel, syr, ynglŷn â swper, fedra i ddim deud: Dorothy a'r forwyn sy'n gofalu am hynny. Mater iddyn *nhw* ydi paratoi swper.
MEURIG:	O, felly?
MR HARRISON:	Ie, siŵr. A chyda llaw, rwy'n meddwl eu bod wrthi'n trafod y cwestiwn yn y gegin y funud 'ma.
MEURIG:	Wel, mi garwn fod yn aelod o'r pwyllgor, os caf. Wrth deithio o gwmpas, byddaf yn dewis fy swper fy hun. Galwch ar y forwyn. Dim *offence*, syr, gobeithio.

MR HARRISON: Dim o gwbl, syr, dim o gwbl. Ond dwn i ddim sut y try pethau allan. Tydi Betsan, y forwyn, ddim mor hawdd â hynny. Os gyrraf amdani, gall ein tafodi i gyd allan o'r tŷ.

HENRY: Gawn ni weld y fwydlen ynteu? Fe'i gofynnaf fel ffafr. Mae eisiau cynghanedd rhwng archwaeth ac arlwy.

MEURIG: *(Wrth Mr Harrison, sy'n rhythu arnynt mewn syndod)* Mae o'n dweud y gwir, syr. Rwy'n cyd-weld yn hollol.

MR HARRISON: Y *mae* gennych *hawl* i orchymyn, syr, yn y tŷ hwn. Roger, tyrd â'r manylion am y swper; rwy'n siŵr eu bod yn barod. Mae rhywbeth yn eich dull, Mr Henry, yn gwneud imi feddwl am f'ewyrth, Cyrnol Williams. Byddai *ef* arfer â dweud nad oes neb yn siŵr o'i swper nes ei fwyta.

HENRY: *(O'r neilltu)* Mae hwn yn falch ryfeddol o'i gysylltiadau teuluol. Ei ewyrth yn gyrnol! Cawn glywed toc bod ei fam yn ustus heddwch. Ond rŵan, dyma'r fwydlen.

MEURIG: *(Yn darllen)* Beth yw'r holl restrau hyn? Y cwrs cyntaf, yr ail gwrs, ac wedyn *dessert.* Yr achlod, syr; ydach chi'n meddwl bod holl gorfforaeth Lerpwl gyda ni am swper. Bydd dau neu dri o bethau ysgafn, glân a chartrefol yn llawn digon.

HENRY: Ond gad imi glywed y rhestr.

MEURIG: *(Yn darllen)* Y cwrs cyntaf, ar y top, mochyn a *prune sauce.*

HENRY: Aed y mochyn i'w grogi, o'm rhan i.

MEURIG: A'r *prune sauce* o'm rhan innau.

MR HARRISON: Ac eto, fon'ddigion, - i bobl newynog mae mochyn a

prune sauce yn rhagorol.

MEURIG:	Ar y gwaelod, tafod ac ymennydd bustach.
HENRY:	Ymhell y bo d'ymennydd, gyfaill: does gen *i* mo'i eisiau.
MEURIG:	Felly, rhowch y 'mennydd i gyd ar un plât. Fe wnânt les i *mi.*
MR HARRISON:	*(O'r neilltu)* Rwy'n rhyfeddu at eu digywilydd-dra. *(Wrthynt hwy)* Fon'ddigion, fy ngwesteion ydych: newidiwch y rhestr fel y mynnoch. A hoffech newid rhywbeth arall?
MEURIG:	Eitem: pastai borc, cig cwningen, *sausage,* pwdin crynu, a dysglaid o hufen tiff-taff-taffeti.
HENRY:	Wfft i'r fath gymysgfa o drugareddau ... Bwyd plaen i mi!
MR HARRISON:	Fon'ddigion, rwy'n gofidio nad oes dim byd wrth eich bodd; ond os hoffech enwi rhywbeth arall -
MEURIG:	O, syr, mae'n rhestr fendigedig. Mae pob eitem cystal â'i gilydd. Dowch ag unrhyw beth a fynnoch ... Wel, dyna ddigon o sôn am swper: yn awr awn i weld bod y gwlâu'n gynnes a chysurus.
MR HARRISON:	Da chwi, peidiwch â phoeni dim: mi ofala *i* am hynny.
MEURIG:	Peidiwch â phoeni, yn wir! Begio'ch pardwn, syr, mi garwn roi sylw *personol* i'r mater hwn.
MR HARRISON:	Na, rwy'n benderfynol, syr. Does dim angen i chwi ymdrafferthu.
MEURIG:	Rwyf *innau'n* benderfynol! *(O'r neilltu)* Dyma'r cnaf mwyaf 'styfnig a gyfarfûm erioed.

MR HARRISON:	Wel, rwy'n benderfynol o leiaf y dôf gyda chwi i'ch helpu. *(O'r neilltu)* Os dyma'r gwyleidd-dra modern, weles i 'rioed ddim byd tebycach i'r hyfdra hen ffasiwn!

(Mae Meurig a Mr Harrison yn gadael.)

HENRY:	*(Ar ei ben ei hun)* Felly'n wir; mae caredigrwydd yr hen fachgen yn troi'n niwsans. Ond pwy all deimlo'n ddig wrth weld y fath awydd i helpu. Ha! pwy sy'n dyfod? Miss Ellis, tawn i byth o'r fan!

(Daw Miss Ellis i mewn.)

MISS ELLIS:	O, Henry annwyl! I ba ryw lwc annisgwyl yr wyf yn ddyledus am y cyfarfyddiad hwn?

HENRY:	Rwyf innau'n gofyn yr un cwestiwn! Prin y disgwyliwn gyfarfod â'm hannwyl Nesta mewn tŷ tafarn!

MISS ELLIS:	Mewn tŷ tafarn! Y fath gamgymeriad! Cartref fy modryb a'i gŵr ydyw hwn! Beth wnaeth i chwi dybio mai tafarn ydoedd?

HENRY:	Cyfeiriwyd fy nghyfaill, Mr Meurig, a minnau, i'r lle hwn, gyda'r syniad mai tafarn ydoedd. Dyn ifanc y trawsom arno mewn tŷ heb fod nepell oddi yma a'n cyfarwyddodd.

MISS ELLIS:	O! Un o gastiau fy nghefnder penchwiban! Fe'm clywsoch droeon yn sôn amdano. Ha! ha! ha!

HENRY:	Y llanc y mae'ch modryb yn ceisio'i wthio arnoch, ac achos fy holl bryderu?

MISS ELLIS:	Nid oes angen pryderu dim o'i achos ef! Rydych yn siŵr o'i edmygu pan welwch mor sbeitlyd ydyw ohonof. Mae modryb yn gwybod hynny, ac yn benderfynol o'm perswadio i'w garu; yn wir, mae hi'n dechrau meddwl bod ei hymdrechion yn llwyddo!

HENRY:	Ragrithreg dlos! Achubais ar y cyfle hapus hwn, Nesta, i ddyfod gyda'm cyfaill, a chael fy nerbyn i mewn i'r teulu. Mae'r ceffylau a'n cludodd wedi blino ar y daith, ond byddant yn barod i ail-gychwyn toc iawn, ac yna, os ydych yn fodlon ymddiried yn eich ffyddlon Henry, cawn lanio cyn hir yn Ffrainc, lle perchir deddfau priodas hyd yn oed ymysg caethion.
MISS ELLIS:	Rwy'n berffaith barod i ufuddhau i'ch cais, ond fel y dwedais wrthych, nid wyf yn fodlon gadael fy nhipyn cyfoeth ar ôl. Gadawyd y rhan fwyaf imi gan fy ewyrth, y Swyddog o'r India, ac ar ffurf perlau y *mae* bron i gyd. Ers peth amser rwy'n ceisio caniatâd fy modryb i'w gwisgo, a chredaf ei bod bron ag ildio. A'r funud y caf afael arnynt, byddant hwy *a* minnau yn eiddo i chwi.
HENRY:	Amdanoch chwi yn unig y gofynnaf. Ond yn awr, rhaid gadael i Meurig ddal i feddwl mai tafarn yw'r tŷ hwn. Mae 'nghyfaill mor enbyd o swil - pe câi wybod y gwir yn sydyn, byddai'n siŵr o ddianc o'r tŷ cyn inni gael cyfle i gychwyn ymaith.
MISS ELLIS:	Ond sut y medrwn gadw'r gwirionedd rhagddo? Wel, mae Miss Harrison newydd ddychwelyd; rhaid i ninnau ddal i dwyllo Meurig. Fel hyn y gwnawn ni, dowch y ffordd 'ma.

(Ymdrafodant. Daw Meurig i mewn.)

MEURIG:	Mae gor-garedigrwydd y bobl yma yn annioddefol. Mae'r *landlord* fel pe'n tybio mai trosedd fyddai 'ngadael ar fy mhen fy hun, ac nid yn unig yn dawnsio o 'nghwmpas ei hunan, ond yn gwthio sylw'i wraig hen ffasiwn arnaf hefyd. Soniant hyd yn oed am swpera gyda ni; ac wedyn, mae'n debyg, daw gweddill y teulu fel morgrug o'u hamgylch. Beth sy'n digwydd fan acw?

HENRY:	Charles annwyl! Gad imi dy longyfarch! Digwyddiad ffodus! Pwy feddyliet sydd newydd ddod yma?
MEURIG:	Dim syniad.
HENRY:	Ein cariadon, fachgen - Miss Harrison a Miss Ellis. Caniatâ i mi gyflwyno Miss Nesta Ellis. Digwyddent fod ar ginio yn yr ardal, a galwasant yma ar eu ffordd yn ôl i newid ceffylau. Mae Miss Harrison newydd fynd i mewn i'r ystafell nesaf, a bydd yma eto mewn eiliad. Mor ffodus, onid e?
MEURIG:	*(O'r neilltu)* Wel ar fy ngwir, rwyf mewn llawn digon o benbleth yn barod, ac yn awr dyma syrthio o'r badell ffrio i'r tân!
HENRY:	Digwydd ffodus, Meurig, onid e?
MEURIG:	O, ie; lwcus iawn - cyfarfod hyfryd - ond mae'n dillad, George, yn flêr. Beth petaem yn gohirio'r hyfrydwch tan yfory? Yfory, yn ei thŷ ei hun. Bydd yr un mor hwylus, ac yn fwy parchus hefyd. Yfory amdani.

(Yn cynnig mynd.)

MISS ELLIS:	Nace'n wir, syr; nid yw Miss Harrison yn hoffi seremoni. Bydd blerwch eich gwisg yn dangos angerdd eich teimlad. Heblaw hynny, mae hi'n gwybod eich bod yma, a chewch ganiatâd i'w gweld.
MEURIG:	O, sut y medraf ymgynnal? Hm! hm! Henry, cofia fod gerllaw. Mae arnaf angen dy gymorth. Byddaf yn hurt fel llo! Ond, twt lol! Mi godaf fy nghalon. Hm!
HENRY:	Yr andros, fachgen! Deuparth gwaith yw ei ddechrau. Tydi hi ddim ond merch wedi'r cwbl!
MEURIG:	Ac i mi - y ferch y mae'n fwyaf anodd gennyf ei chyfarfod o holl ferched y byd.

(Daw Miss Harrison i mewn, newydd ddychwelyd o daith gerdded, yn gwisgo bonet ac ati.)

HENRY: *(Yn cyflwyno)* Miss Harrison, Mr Meurig. Mae'n hyfrydwch gennyf gyflwyno deuddyn mor rhagorol y naill i'r llall. O 'nabod eich gilydd ni ellwch lai nag edmygu eich gilydd.

MISS HARRISON: *(O'r neilltu)* Yn awr am gyfarfod y gŵr bonheddig swil, yn union fel y mae. *(Wedi ennyd o ddistawrwydd, ac yntau'n edrych yn wirion ac anniddig.)* Da gennyf weld eich bod wedi cyrraedd yn ddiogel, syr. Cawsoch ddamweiniau ar y ffordd, rwy'n deall.

MEURIG: Dim ond ambell un, madam. Do, fe gawsom rai, do, madam, - nifer fawr o ddamweiniau, ond drwg gennyf, madam, neu'n hytrach, da gennyf weld y damweiniau'n terfynu mor hapus. Hm!

HENRY: *(Wrtho ef)* Ddaru ti 'rioed siarad cystal yn dy fywyd. Cadw'r sgwrs i fynd; rwyt yn siŵr o ennill y frwydr.

MISS HARRISON: Ond i chwi, sydd wedi gweld cymaint o'r byd ffasiynol, nid oes fawr o fwynhad yn bosibl mewn bro mor anghysbell â hon.

MEURIG: *(Yn ymwroli)* Rwyf yn wir wedi gweld cryn dipyn o'r byd, madam, ond cwmnïwr go wael ydwyf. Bûm fodlon, madam, i *sylwi* yn unig ar fywyd, a gadael i eraill ei fwynhau.

MISS ELLIS: Ond, yn y pen draw, dyna'r ffordd orau i'w fwynhau.

HENRY: *(Wrtho ef)* Siaradodd Cicero erioed ddim gwell. Un ymgais arall, a byddi'n berffaith hyderus am byth.

MEURIG: *(Wrtho ef)* Hm! Saf wrth f'ochr, ynteu, ac os caf godwm, dywed air neu ddau i'm codi ar fy nhraed.

MISS HARRISON: Fel sylwedydd ar fywyd, mae'n siŵr y teimlwch anniddigrwydd mawr wrth weld bod cymaint mwy i'w gondemnio nag i'w ganmol.

MEURIG: Begio'ch pardwn, madam; bûm ddiolchgar bob amser am ddifyrrwch. Testun chwerthin yn hytrach na gofid yw ffolineb y lliaws.

HENRY: *(Wrtho ef)* Bravo! bravo! Rwyt yn siarad yn well nag y gwnaethost erioed!

(Wrthi hi) Wel, Miss Harrison, mi welaf y byddwch chwi a Mr Meurig yn gwmni rhagorol i'ch gilydd. Nid yw ein presenoldeb ni'n dau yn ddim ond rhwystr ichwi.

MEURIG: Dim o gwbl, Mr Henry. Mae eich cwmni wrth ein bodd. *(Wrtho ef)* Does bosib', George, dy fod am fy ngadael! Sut y gelli wneud y fath beth?

HENRY: Mae'n presenoldeb yn tarfu ar yr ymddiddan, ac felly fe symudwn i'r 'stafell nesaf. *(Wrtho ef)* Cofia, ddyn annwyl, mae arnom ninnau eisiau tipyn o sgwrs fach breifat.

(Ânt allan.)

MISS HARRISON: *(Wedi ennyd o ddistawrwydd)* Ond nid sylwedydd yn unig a fuoch, mae'n debyg, syr. Mae'r boneddigesau, ond odid, wedi cael rhyw gyfran o'ch amser.

MEURIG: *(Yn ail-ddechrau bod yn ofnus)* Eich pardwn, madam, ond - ond - ond - ond - hyd yma ni cheisiais fwy na - na pha fodd i'w haeddu.

MISS HARRISON: Wel, yn ôl rhai, dyna'r ffordd waethaf oll i geisio'u hennill.

MEURIG: Efallai'n wir, madam. Ond â'r rhai mwyaf difrif a deallus ohonynt y caraf ymddiddan. Ond - ond - ofnaf fy mod yn eich blino.

MISS HARRISON:	Dim o gwbl, syr: does dim a garaf yn fwy na sgwrs sylweddol. Gallwn wrando ar honno am byth. Yn wir, bûm yn synnu ganwaith sut y gall dyn meddylgar edmygu difyrrwch gwag, na all dim ohono gyrraedd y galon.
MEURIG:	Rhyw - rhyw afiechyd - yn - yn y meddwl ydyw, madam. Lle bo amrywiaeth chwaeth, mae'n siŵr bod rhai pobl sydd - o ddiffyg chwaeth at - hm - at - hm!
MISS HARRISON:	Rwy'n eich deall, syr. Mae rhai pobl, o ddiffyg chwaeth at bleserau uwch, yn cymryd arnynt ddirmygu rhywbeth na wyddant ddim byd yn ei gylch.
MEURIG:	Dyna fy meddwl, madam - ond wedi'i fynegi'n ganmil rhagorach. Mi hoffwn awgrymu - awgrymu - y -
MISS HARRISON:	*(O'r neilltu)* Pwy fasai'n tybio y gallai hwn fod yn ddigywilydd ar rai achlysuron? *(Wrtho ef):* Roeddech yn awgrymu, syr -
MEURIG:	Mi garwn awgrymu, madam - yn wir, rwyf wedi anghofio beth yr oeddwn am ei awgrymu.
MISS HARRISON:	*(O'r neilltu)* Yn wir, rwyf innau hefyd. *(Wrtho ef)* Sôn yr oeddech, syr, am yr oes ragrithiol hon - rhywbeth ynglŷn â rhagrith, syr.
MEURIG:	Ie, madam, yn yr oes ragrithiol hon, ychydig iawn sydd, o sylwi'n fanwl, nad ydynt yn - yn - yn -
MISS HARRISON:	Rwy'n eich deall yn berffaith, syr.
MEURIG:	*(O'r neilltu)* Gwarchod! nid wyf yn fy neall fy hun, beth bynnag.
MISS HARRISON:	Dweud yr oeddech fod llawer, yn yr oes ragrithiol hon yn condemnio'n gyhoeddus y pethau a wnânt yn y dirgel, gan dybio eu bod yn talu pob dyled i ddaioni wrth wneud dim ond ei ganmol.

MEURIG:	Yn hollol, madam: y bobl y mae ganddynt fwyaf o rinwedd yn eu genau yw'r bobl â lleiaf ohono yn eu calon. Ond rwy'n eich blino, mae'n sicr.
MISS HARRISON:	Dim o'r fath beth, syr. Mae rhywbeth mor fyw ac mor hoffus yn eich dull; y fath rym ac asbri - ewch ymlaen, syr.
MEURIG:	Ie, madam. Dweud yr oeddwn - fod diffyg dewrder, dan rai amgylchiadau, madam, yn difetha pob - ond yn peri inni - y - y - y-
MISS HARRISON:	Cytunaf yn llwyr: mae diffyg dewrder ambell dro'n ymddangos yn ddylni, ac yn ein gollwng i lawr, pan ddymunem fod ar ein gorau. Atolwg, ewch ymlaen.
MEURIG:	Ie, madam. A siarad yn foesol, madam. Ond gwelaf fod Miss Ellis yn disgwyl amdanom yn y 'stafell nesaf. Ni charwn am y byd fod yn rhwystr.
MISS HARRISON:	Coeliwch fi, syr, ni phrofais erioed gymaint o fwynhad. Ewch ymlaen.
MEURIG:	Ie, madam, yr oeddwn - Ond dacw hi'n amneidio arnom i fynd ati. Madam, bydd yn fraint gennyf ddod gyda chwi.
MISS HARRISON:	Wel, ynteu, fe'ch dilynaf.
MEURIG:	(*O'r neilltu*) Mae'r ymddiddan poenus hwn bron iawn wedi fy lladd.

(*Â allan.*)

MISS HARRISON:	(*Ar ei phen ei hun*) Ha! ha! ha! A fu 'rioed sgwrs mor ddifrifol o gysetlyd? Ni lwyddodd i edrych yn fy wyneb gymaint ag unwaith. Ac eto, ar waethaf ei holl swildod, mae'n burion dyn. Mae ganddo synnwyr ddigonedd, ond mae'i synnwyr yn fwy o dreth na dylni, oherwydd ei ofn. Pe gallwn roi tipyn o hunan-hyder

ynddo, byddai'n gymwynas â rhywun a adwaena. Ond pwy yw'r *rhywun* honno? Wel, dyna gwestiwn na charwn i mo'i ateb!

(Â allan. Daw Tomi a Miss Ellis i mewn, ac wedyn Mrs Harrison a Henry.)

TOMI: Pam rydach chi'n dŵad ar fy ôl i fel hyn, Nesta? Oes arnoch chi ddim cywilydd bod mor wên deg?

MISS ELLIS: Wel, siawns na chaf siarad ag un o'm perthnasau heb gael fy meio.

TOMI: Ia, ond mi wn i sut berthynas fasa chi'n lecio imi fod ichi. Ond waeth ichi heb; ac felly, os gwelwch chi'n dda, cadwch draw; does gen i ddim eisio perthynas agosach.

(Mae Miss Ellis yn ei ddilyn i gefn y llwyfan gan ffugio bod yn gariadus.)

MRS HARRISON: Ar fy llw, Mr Henry, rydach chi'n un difyr dros ben. Rydw i wrth fy modd yn siarad am Lerpwl a'r ffasiynau, er na fûm i 'rioed yn y lle.

HENRY: 'Rioed yn Lerpwl. Rydych yn fy synnu: a minnau'n tybio wrth eich sgwrs a'ch dull eich bod wedi eich geni a'ch magu yn un o'r trefi mawr.

MRS HARRISON: O, syr, dweud hynny i 'mhlesio i rydach chi. Pa *steil* sy'n bosib' i ni bobl y wlad? Rydw i'n edmygu'r dref, ac mae hynny'n ddigon i 'nghodi i uwchlaw *rhai* o'r cymdogion 'ma. Ond pwy all fod yn y ffasiwn heb fod yn wybyddus â'r trefi poblog a'r mannau lle mae'r bobol fawr yn trigiannu? Cha i ddim ond mwynhau Lerpwl o bell. Mi fydda i'n darllen pob *tête-à-tête* yn y *Liverpool Gazette* a'r *Scandalous Magazine,* ac yn dysgu'r *latest fashions* trwy lythyrau'r ddwy Miss Richards sy'n byw yn *Crooked Lane.* A rŵan, Mr Henry, sut rydach chi'n lecio steil 'y ngwallt i?

42

HENRY:	*Most elegant* a *degagée,* ar fy ngwir, madam. Rhyw Ffrancwr, bid sicr, a'ch dysgodd sut i'w drin.
MRS HARRISON:	O, nace'n wir; fy ngwaith i fy hun ydi o, wedi copïo rhyw bictiwr yn y rhifyn dwytha' o'r *Ladies' Mercury.*
HENRY:	Felly'n wir! Buasai pen fel yna mewn *side-box* yn y *Theatre* yn tynnu mwy o sylw na'r Arglwydd Faeres yn y *City Bell.*
MRS HARRISON:	Y ffaith ydi, er pan ddysgodd y doctoriaid sut i fendio'r frech wen, does 'na mo'r fath beth â merch blaen; ac felly, rhaid inni wisgo'n bur barticiwlar rhag bod ar goll yn y *crowd.*
HENRY:	Ond gall hynny ddim digwydd i chwi, madam, mewn unrhyw wisg *(yn bowio).*
MRS HARRISON:	Waeth imi heb ymbincio tra bo gen i'r fath dalp o hynafiaeth â Mr Harrison wrth f'ochr. Er fy holl siarad, fedra i ddim taeru'r un botwm o'i ddillad o i ffwrdd. Rydw i wedi crefu arno ganwaith i roi ffling i'w wig wlanen, a phlastro'r darna' moel efo powdwr.
HENRY:	Rydych yn dweud y gwir, madam: oblegid yn awr does neb yn hyll ymhlith y *ladies,* na neb yn hen ymhlith y dynion chwaith.
MRS HARRISON:	Ond beth ddyliech chi oedd 'i ateb o? Dweud wrthyf, gyda'i farbareiddiwch arferol, fy mod yn pwyso arno i daflu'r wig i ffwrdd er mwyn ei gael yn fonet i mi fy hun!
HENRY:	Haerllug dros ben. Yn eich oed chwi gellwch wisgo fel y mynnoch, ac edrych yn dda drwy'r cwbl.
MRS HARRISON:	Rŵan, Mr Henry, beth, yn eich barn chi, ydi'r oed mwyaf ffasiynol yn y trefi mawr?

HENRY:	Ychydig amser yn ôl, deugain oedd yr oed mwyaf *stylish;* ond deallaf fod y *ladies* am ei godi i hanner cant y gaea' nesaf.
MRS HARRISON:	Tewch â deud! Mi fydda *i* felly'n rhy ifanc i fod yn y ffasiwn.
HENRY:	Does yr un *lady'n* awr yn dechrau gwisgo perlau nes bod dros ei deugain. Er enghraifft, mewn cylchoedd ffasiynol, ystyrid y Miss - draw acw - yn ddim ond plentyn.
MRS HARRISON:	Ac eto, mae fy nith yn ystyried ei hun yn gymaint o *lady,* ac mor hoff o berlau, â'r hynaf ohonom.
HENRY:	Mae hi'n nith i chwi, felly? Ac mae'r bonheddwr ieuanc acw, mae'n debyg, yn frawd ichwi?
MRS HARRISON:	Fy mab, syr. Mae'r ddau fwy neu lai'n *engaged* i'w gilydd. 'Drychwch ar 'u hôl nhw. Mae'r ddau'n ffraeo ac yn caru bob yn ail trwy'r dydd, fel 'tae nhw eisoes yn ŵr a gwraig. *(Wrthynt hwy)* Wel, Tomi, cariad, pa *secrets* wyt ti'n ddeud wrth dy Nesta heno?
TOMI:	Ddwedais i 'run *secret* wrthi hi, dim ond y baswn i'n falch o gael llonydd ganddi. Does yma unlle i gael tipyn o heddwch rŵan, ond y stabal.
MRS HARRISON:	Na hidiwch, Nesta bach. Fel arall mae o'n siarad yn eich cefn.
MISS ELLIS:	Mae 'nghefnder yn eithaf caredig. Mae o'n pwdu'n gyhoeddus er mwyn cael maddeuant yn y dirgel.
TOMI:	Dyna andros o gelwydd.
MRS HARRISON:	A! un slei ydi Tomi. Ydach chi ddim yn meddwl 'u bod nhw'n debyg o gwmpas y geg, Mr Henry? Ceg fy nheulu i i'r dim. Mae'r ddau'r un faint hefyd. Rŵan,

'mhlant i, *back-to-back,* er mwyn i Mr Henry'ch gweld chi. Tyrd, Tomi.

TOMI: Gwell ichi beidio, gewch chi weld.

MISS ELLIS: O, mae o wedi cracio 'mhen i.

MRS HARRISON: O, yr hen gena'! Rhag dy gywilydd di, Tomi, a thitha'n ddyn!

TOMI: Os ydw i'n ddyn, gadwch imi gael fy arian. Rydw i wedi cael llond bol o'r nonsens 'ma.

MRS HARRISON: Yr hogyn anniolchgar! Ai dyma'r diolch ydw i'n gael wedi'r holl drafferth yn ceisio dy ddysgu? A finna' wedi siglo dy grud, ac wedi bwydo'r geg fach ddel yna efo llwy! Pwy ddaru wau'r wasgod yna, iti gael edrych yn *genteel?* Pwy ddaru ofalu am ffisig iti, a chrio tra oedd y ffisig yn gwneud 'i waith?

TOMI: Hawdd y gallech chi grio, a chitha' wedi tywallt ffisig i lawr fy nghorn gwddwg i er pan anwyd fi ... Ond tydw i ddim am fod yn ffŵl 'run diwrnod 'chwaneg.

MRS HARRISON: Mi wyddost mai er dy les di roedd y cwbwl, y corgi. Onid felly'r oedd hi?

TOMI: Wel, pam na rowch chi lonydd imi er fy lles? Fy snybio fel hyn, a finna' mewn hwylia' da! Gadwch i'r lles ddŵad ohono'i hun, yn lle'i rwbio a'i rwbio i mewn imi yn ddi-stop.

MRS HARRISON: Hwylia' da, yn wir! Fydda i byth yn dy weld di mewn hwylia' da. Rwyt ti naill ai yn y stabal neu yn y dafarn yr adeg honno. Tydw i byth yn cael y pleser o glywed dy nodau gwylltion annwyl, y gwalch dideimlad.

TOMI: Mam annwyl, mae'ch nodau chi'n wylltach o'r hanner.

MRS HARRISON:	Glywsoch chi 'rioed shwd beth? Ond eisio torri 'nghalon i sy arno fo, rydw i'n gweld.
HENRY:	Madam, gadewch i mi siarad â'r gŵr ieuanc. Rwy'n siŵr y gallaf ei berswadio i wneud ei ddyletswydd.
MRS HARRISON:	Wel, rhaid i mi fynd. Dowch, Nesta, 'nghariad i. Rydach chi'n gweld, Mr Henry, mor annifyr ydi hi arna i. Chafodd unrhyw gr'adures erioed ei phlagio gan hogyn mor annwyl, mor ddel, mor bryfoclyd, ac mor anufudd?

(Mae Mrs Harrison a Miss Ellis yn gadael.)

TOMI *(yn canu):*	"Roedd llanc yn marchog heibio'r tro, Gan chwennych cael ei ffordd, hei-ho: Rang-do, didl-o di." Peidiwch â phoeni. Gadewch iddi grio. Mae hi wrth 'i bodd yn crio. Rydw i wedi gweld fy chwaer a hitha' yn crio am oria' uwchben nofel; ac roeddan nhw'n canmol y llyfr yn ofnadwy o achos hynny.
HENRY:	Mae'n amlwg, fachgen, nad ydych ddim yn rhy hoff o'r *ladies*.
TOMI:	Rydw i'n 'u trin nhw fel ma'n nhw'n haeddu.
HENRY:	Ond beth am yr eneth a ddewisodd eich mam ichwi? Mae hi'n ymddangos i mi yn annwyl iawn.
TOMI:	Tydach chi ddim yn 'i nabod hi cystal â fi. Rydw i'n gwybod am bob modfedd ohoni, a does na'r un llyffantes mwy anystywallt yn yr holl greadigaeth.
HENRY:	*(O'r neilltu)* Dyna wybodaeth gysurlon i garwr!
TOMI:	Rydw i'n gwybod amdani er pan oedd hi'r uchder yna. Mae hi'n gastiog fel 'sgwarnog mewn twmpath, ac yn waeth na merlen heb 'i thorri i mewn.
HENRY:	Mae hi'n ymddangos yn dawel a doeth i mi.

TOMI:	Ie, mewn cwmni; ond efo'i ffrindia' mae'n gwichian fel hwch dan lidiart.
HENRY:	Ond mae'i lledneisrwydd yn amlwg i mi.
TOMI:	Ie, ond daliwch chi'r awena'n dynn, a dyna hi'n strancio'n syth, a'ch taflu i'r ffos.
HENRY:	Wel, tydi hi ddim yn amddifad o brydferthwch. Fedrwch chi ddim gwadu hynny.
TOMI:	Bambox! Tydi'r cwbwl yn ddim ond *make-up,* ddyn glân. A! phe gwelsech chi Begw Baset sy'n byw gerllaw 'ma, gallech sôn am brydferthwch wedyn. Mae'i llygid hi fel eirin perthi, a'i bochau'n goch fel clustog sêt fawr. Mae Begw gystal â dwy o Nesta druan.
HENRY:	Wel, beth ddwedech chi wrth gyfaill fyddai'n barod i gymryd y fargen annifyr oddi ar eich dwylo.
TOMI:	Be ddwetsoch chi?
HENRY:	Fasech chwi'n ddiolchgar i rywun am gymryd Miss Ellis i ffwrdd, a'ch gadael chithau'n hapus efo'ch Begw?
TOMI:	Baswn, debyg iawn; ond ble mae'r fath gyfaill; achos pwy fasa'n 'i chymryd hi?
HENRY:	Myfi yw'r dyn. Os rhowch dipyn o gymorth imi, rwy'n barod i'w chipio i ffwrdd i Ffrainc, ac ni chlywch ragor o sôn amdani.
TOMI:	Tipyn o gymorth? Mi wnaf bob affliw posibl. Mi fachaf bâr o geffyla' wrth y cerbyd yn barod ar eich cyfer, a'ch cychwyn i ffwrdd mewn chwinciad; a hwyrach y medra i gael tipyn o'r cyfoeth ichi hefyd, perlau drud nad ydach chi ddim wedi breuddwydio amdanyn nhw.

HENRY:	Sgweiar annwyl, mae gennych ysbryd ardderchog.
TOMI:	Ffwrdd â ni, ynte; mi gewch weld mwy o f'ysbryd cyn darfod hefo fi. *(Yn canu):* "Fy mhennaf mwynhad, Yw myned i'r gad, I ganol y gynnau mawr."

(Ânt allan.)

ACT III

Yr un olygfa.
Daw Mr Harrison i mewn, ar ei ben ei hun.

MR HARRISON: Beth oedd meddwl fy hen gyfaill Syr Charles yn canmol ei fab wrthyf fel y dyn ifanc mwyaf llednais yn y ddinas? Mae'n edrych i mi fel y sbrigyn mwyaf wyneb-galed dan haul. Mae o eisoes wedi meddiannu'r gadair freichia' ger y tân. Mi dynnodd 'i 'sgidia yn y parlwr, a gofyn i mi'u cadw nhw. 'Sgwn i be 'di effaith y digywilydd-dra 'ma ar fy merch. Mi fydd yn gwaredu rhagddo, mae'n siŵr.

(Daw Miss Harrison i mewn, wedi ymwisgo'n syml.)

MR HARRISON: Wel, Kate, mi wela' dy fod wedi newid dy wisg yn ôl fy ngorchymyn; ond nid oedd fawr angen am hynny, nag oedd?

MISS HARRISON: Rwy'n cael y fath bleser, syr, wrth gadw eich gorch'mynion, nes ufuddhau iddynt heb amau dim ar eu priodoldeb.

MR HARRISON: Ac eto, Kate, rhof achos iti amau ambell dro; er enghraifft, wrth fentro argymell y gŵr ieuanc llednais yna fel cariad iti.

MISS HARRISON: Gwnaethoch imi ddisgwyl rhywbeth hynod; ac yn wir, mae'r gwrthrych yn fwy anghyffredin hyd yn oed na'r disgrifiad.

MR HARRISON: Ches i 'rioed fy synnu mor ofnadwy. Mae o wedi hurtio fy holl gyneddfau.

MISS HARRISON: Weles i 'rioed y fath beth; ac yntau wedi 'gweld y byd' hefyd.

49

MR HARRISON:	Ie, dylanwad y gwledydd tramor 'na ydi'r cwbl. Y fath ffŵl oeddwn, yn meddwl y gallai dyn ddysgu lledneisrwydd wrth drafaelio.
MISS HARRISON:	Gallwn dybio bod yr elfen ynddo wrth natur.
MR HARRISON:	Trwy gymorth cwmni drwg a dawns-feistr Ffrengig.
MISS HARRISON:	O na, rydych yn camgymryd, tada! Ni allai dawns-feistr Ffrengig byth ddysgu'r ofnusrwydd yna iddo, y siarad trwstan a'r ymddygiad swil -
MR HARRISON:	Ofnusrwydd *pwy*, swildod *pwy*, 'ngeneth i?
MISS HARRISON:	Mr Meurig, debyg iawn; fe'm trawyd o'r dechrau gan ei swildod poenus.
MR HARRISON:	Wel, mae'r 'dechrau' wedi dy gamarwain; mae o'n un o'r creaduriaid mwyaf digywilydd a welais erioed â'm llygaid.
MISS HARRISON:	Rydych yn drysu'n ddigon siŵr. Welais i neb erioed mor llednais.
MR HARRISON:	Does bosib dy fod o ddifrif? Welais i 'rioed gorgi mor wyneb-galed. Doedd Bwli Rawson yn ddim ond baban diniwed mewn cymhariaeth.
MISS HARRISON:	Dyna beth rhyfedd! Daeth ataf fi gyda phob gwyleidd-dra, yn llawn atal-dweud, a'i olygon tua'r llawr.
MR HARRISON:	Daeth ataf fi yn uchel ei gloch, yn fawreddog ei ddull, a chyda'r fath hyfdra nes gwneud i'm gwaed rewi yn fy ngwythiennau.
MISS HARRISON:	Roedd o'n gwrtais tu hwnt gyda mi; condemniai arferion y cyfnod; canmolai'r genethod nad ŷnt byth yn chwerthin; ymddiheurai hyd ddiflastod am fod mor annifyr; ac wedyn aeth o'r ystafell gan ddweud - "Madam, fynnwn i ddim peri blinder ichwi am bris yn y byd."

MR HARRISON: Roedd o'n siarad â mi fel petai'n fy 'nabod ers blynyddoedd; gofynnodd ddegau o gwestiynau heb aros am ateb; torri ar draws fy sgwrs gyda 'smaldod disynnwyr; a phan oeddwn ar ganol fy stori am y *Duke of Marlborough* a'r Tywysog Ewgene - gofyn imi sut law oeddwn ar wneud pwnsh. Ie, Kate, gofyn i'th dad wydda' fo sut i wneud pwnsh!

MISS HARRISON: Mae'n rhaid bod un ohonom dan gamargraff.

MR HARRISON: Os ydw i wedi'i nabod o'n iawn, chaiff o byth fy mendith i.

MISS HARRISON: Ac os ydi o mor surbwchaidd ag y tybiaf i, chaiff o ddim derbyniad gen innau chwaith.

MR HARRISON: Rydym yn cyd-weld felly ar un peth - bod yn rhaid ei wrthod.

MISS HARRISON: Ydym - ond ar delerau arbennig. Os cewch chwi ef yn *llai* digywilydd, ac os caf innau ef yn *llai* ofnus; os cewch *chwi* ef yn fwy cwrtais, ac os caf *innau* ef yn fwy cadarn wel, dwn i ddim, mae'r llanc yn eithaf dyn - yn sicr fyddwn ni ddim yn aml yn cyfarfod rhai o'r un stamp ag ef mewn rasys ceffylau yn y rhan yma o'r wlad.

MR HARRISON: Os cawn ef felly, ond mae'n llwyr amhosib'! Mae'r argraff a gefais i yn anobeithiol. Fydda i byth yn camgymryd mewn materion fel hyn.

MISS HARRISON: Ac eto, hwyrach fod llawer rhinwedd ynddo ar waetha'r ymddangosiad cyntaf.

MR HARRISON: Os bydd allanolion dyn wrth fodd merch, mae hi'n dechrau meddwl pethau gwych am y gweddill o'i gymeriad. Iddi hi, mae wyneb glân yn braw' o ddeall, a ffurf osgeiddig yn arwyddo pob rhinwedd.

MISS HARRISON: Gobeithio, syr, wedi ichi ddechrau trwy ganmol fy synnwyr, na wnewch chi ddim gorffen trwy ddirmygu fy neall.

MR HARRISON: Wel, maddau imi, Kate. Ond os dengys Mr Cheeky fod ganddo'r ddawn i ddileu anghysondeb, fe all blesio'r *ddau* ohonom - efallai.

MISS HARRISON: A chan fod y naill neu'r llall ohonom wedi camgymryd, beth am geisio darganfod mwy o ffeithiau'n ei gylch?

MR HARRISON: Gelli fentro mai *fi* sy'n iawn.

MISS HARRISON: Cewch weld nad wyf innau ymhell iawn o'm lle.

(Ânt allan. Mae Tomi yn rhedeg i mewn gyda chist fechan yn ei law.)

TOMI: Do, mi ges afael arnyn nhw! Dyma nhw! Holl berlau Nesta, fy nghyfnither. Chaiff fy mam ddim 'sbeilio'r petha' bach o'u cyfoeth. O, myn f'ened i, chi sydd 'na?

(Daw Henry i mewn.)

HENRY: Wel, yr hen gyfaill, beth ddigwyddodd rhyngoch chi a'ch mam? Gawsoch chi hwyl ar ei thwyllo? Mae hi'n barod i gredu, gobeithio, eich bod mewn cariad â'ch cyfnither, a'ch bod yn fodlon ei chymryd. Mae'r ceffylau bron iawn wedi dadflino, a byddwn yn barod toc i gychwyn ymaith.

TOMI: A dyma ichi rywbeth i dalu costau'r daith - *(yn rhoi'r gist iddo),* perlau eich cariad; a melltith, ddeuda i, ar bwy bynnag all geisio'u dwyn odd'arnoch chi.

HENRY: Ond sut y llwyddasoch i'w cael gan eich mam?

TOMI: "Paid â holi, cwd a halen!" Mi ces nhw trwy synnwyr y fawd. Heb 'oriad i agor pob drôr ym miwrô fy mam, sut y medrwn i fynd i'r dafarn mor amal? Gall dyn gonest ddwyn ei arian ei hun unrhyw adeg.

52

HENRY: Mae miloedd yn gwneud hynny bob dydd. Ond i fod yn onest efo chi, mae Miss Ellis yn ceisio'u cael nhw gan ei modryb y funud 'ma. Os llwydda, dyna'r ffordd fwyaf gweddus, a dweud y lleiaf, o'u cael nhw.

TOMI: Wel, cadwch nhw nes gweld sut y bydd hi. Ond ran hynny, mi wn yn iawn sut y bydd hi; mi fasa'n haws gan fy mam 'madael â'r dant dwytha'n 'i phen.

HENRY: Rwy'n dychryn wrth feddwl am ei digofaint wedi iddi ffeindio'u colli nhw.

TOMI: Hidiwch befo'i digofaint hi: mi setla i hwnnw. Tydw i'n poeni 'run botwm corn am 'i digofaint hi. Ar f'engoch i, dyma nhw; brysiwch! heglwch hi!

(Mae Henry'n gadael. Daw Mrs Harrison a Miss Ellis i mewn.)

MRS HARRISON: Yn wir, Nesta, rydw i'n synnu atoch chi. Hogan fel chi yn poeni ynghylch perlau! Bydd yn hen ddigon buan i *chi* feddwl am berlau ymhen ugain mlynedd eto, pan fydd eich *good looks* yn gweiddi am help.

MISS ELLIS: Gall rhywbeth sy'n addurn i wraig ddeugain oed fod yn addurn, bid siŵr, i ferch sy'n iengach o'r hanner.

MRS HARRISON: Rydach chi'n ddigon tlws i fod yn well hebddyn nhw. Mae'r gwrid naturiol yna'n werth miloedd o berlau. A heblaw hynny, 'nghariad i, tydi perlau ddim yn ffasiynol ar hyn o bryd.

MISS ELLIS: Ond pwy ŵyr na fasai rhywun - does dim angen ei enwi - yn meddwl mwy ohonof gyda'm holl addurniadau o'm cwmpas.

MRS HARRISON: Edrychwch yn y *glass,* cariad; peidiwch â sôn am berlau, a chitha'n berchen dau lygad disglair fel yna. Be 'di dy farn di, Tomi? Oes angen i Nesta wisgo perlau?

TOMI:	Amser a ddengys.
MISS ELLIS:	O, modryb; pe gwyddech mor falch faswn i o'u cael nhw!
MRS HARRISON:	Clwstwr o berlau hen ffasiwn, di-liw! Mi fasach yn edrych fel un o wragedd y brenin Solomon mewn *waxworks*. A heblaw hynny, tydi hi ddim yn hawdd cael hyd iddyn nhw. Gallant fod ar goll, am ddim a wn *i*.
TOMI:	*(O'r neilltu, wrth Mrs Harrison)* Wel, pam na ddeudwch chi wrthi 'u bod nhw ar goll, os ydi hi'n crefu mor enbyd amdanyn nhw. Dyna'r unig ffordd i'w distewi. Dwedwch 'u bod nhw ar goll, a gofynnwch i mi fod yn dyst.
MRS HARRISON:	*(O'r neilltu, wrth Tomi)* Fe wyddost, Tomi, mai er dy fwyn di rydw i'n 'u cadw nhw. Ac os deuda' i 'u bod nhw ar goll, rwyt titha' am fod yn dyst, wyt ti? Hi! hi!
TOMI:	Hidiwch befo fi. Twt, mi ddeuda i 'mod i wedi'u gweld nhw'n cael eu dwyn.
MISS ELLIS:	Does arna i mo'u heisiau ond am ddiwrnod, Madam. Dim ond caniatâd i'w dangos fel creiriau. Wedyn cewch eu cadw dan glo, os mynnwch.
MRS HARRISON:	A siarad yn blaen, Nesta, pe medrwn i gael hyd iddyn nhw, fe'u caech nhw. Ond coeliwch fi, tydyn nhw ddim ar gael. Maen nhw ar goll, hyd y gwn i. Ond lle bynnag maen nhw, rhaid inni fod yn amyneddgar.
MISS ELLIS:	Chreda i monoch chi. Ymgais i'm twyllo ydi hyn. Maent yn rhy werthfawr ichi fod yn esgeulus yn eu cylch; a chan y byddech yn gyfrifol am y golled -
MRS HARRISON:	Peidiwch â dychryn, Nesta. Os collwyd nhw, cawn eraill yn eu lle. Ond mae Tomi'n gwybod eu bod ar goll.

TOMI: Rydw i'n dyst o hynny. Ma'n nhw ar goll, mi gymra fy
                 llw.

MRS HARRISON: Rhaid ichi ddysgu ymgynnal, cariad: achos, er inni
                 golli'n cyfoeth, does dim angen inni golli'n hamynedd.
                 'Drychwch mor ddigyffro ydw i.

MISS ELLIS: Hawdd bod yn ddidaro ynghylch anlwc pobl eraill.

MRS HARRISON: Rydw i'n synnu bod hogan gall fel chi yn poeni
                 ynghylch sothach. Mi ddôn i'r golwg cyn bo hir; ac yn
                 y cyfamser, cewch wisgo fy *jewels* i.

MISS ELLIS: *Jewels,* yn wir!

MRS HARRISON: Does dim byd gwell i harddu croen golau. Mi wyddoch
                 mor dda maen nhw'n edrych i mi. Mae'n rhaid ichi 'u
                 cael nhw!

(Â allan.)

MISS ELLIS: Mae'n gas gennyf eu gweld. Chewch chi ddim symud.
                 Y fath gamwri. Colli fy mherlau gwerthfawr, a gwneud
                 imi wisgo'i sothach ei hun yn eu lle!

TOMI: Peidiwch â bod yn wirion! Os rhoith hi'r *jewels* ichi,
                 cym'rwch nhw. Mae'r perlau gennych yn barod. Fe'u
                 tynnais allan o'r biwrô heb iddi wybod. Brysiwch at
                 eich cariad; mae o'n dallt yr amgylchiada'. Mi setla *i*
                 fy mam.

MISS ELLIS: Fy nghefnder annwyl!

TOMI: Heglwch hi. Mae hi'n dŵad - ac eisoes wedi ffeindio'u
                 colli nhw. *(Mae Miss Ellis yn gadael.)* Gwarchod
                 pawb! Mae hi'n chwythu ac yn poeri fel tân gwyllt.

(Daw Mrs Harrison i mewn.)

MRS HARRISON:	Yr andros annwyl. Lladron! Ysbeilwyr! Rydan ni wedi'n twyllo, wedi'n difetha, wedi'n -
TOMI:	Be 'di'r mater? Be 'di'r mater, mam bach? Does dim wedi digwydd i neb o'r teulu, gobeithio?
MRS HARRISON:	Wedi'n hysbeilio. Mae'r biwrô wedi'i hagor: mae'r perlau wedi mynd: rydw i wedi 'nifetha!
TOMI:	O, ai dyna'r cwbl? Ha! ha! ha! Myn cebyst i, weles i 'rioed gystal actio. Ron i'n meddwl eich bod chi wedi'ch difetha mewn gwirionedd. Ha! ha! ha!
MRS HARRISON:	Yr hogyn hurt: rydw i wedi 'nifetha o ddifri' calon. Mae'r biwrô wedi'i dorri, a'r cwbwl wedi mynd!
TOMI:	Actio bendigedig! Ha! ha! ha! daliwch ymlaen. Mi fydda inna'n dyst, cofiwch; gofynnwch i *mi* fod yn dyst.
MRS HARRISON:	Yn enw pob rheswm, Tomi, clyw fi'n dweud wrthyt ti: mae'r perlau wedi mynd: rydw i *wedi* 'nifetha!
TOMI:	Wel ia, debyg iawn, a finna' i fod yn dyst!
MRS HARRISON:	Ond, gwrando arna i, Tomi bach; maen nhw wedi mynd!
TOMI:	Ar f'engoch i mam, rydach chi'n gwneud imi chwerthin. Ha! ha! ha! Ac mi wn yn iawn pwy aeth â nhw. Ha! ha! ha!
MRS HARRISON:	A fu'r fath benbwl erioed, yn methu gweld y gwahaniaeth rhwng 'smaldod a gwirionedd? Tydw i ddim *yn* smalio, y lolyn.
TOMI:	Dyna'r syniad; dyna'r ffordd; rhaid ichi ddangos coblyn o dempar; ac wedyn, fedar neb ama' 'run ohonon ni. Mi fydda inna'n dyst ichi.

MRS HARRISON:	A fu'r fath fwnci pen galed erioed, yn gwrthod gwrando arna i fel hyn? Wnei di dystio nad wyt ti ddim gwell na ffŵl? O, mae hi'n galed ar gr'adures, efo ffyliaid ar un ochr, a lladron yr ochr arall!
TOMI:	Mi fedra i dystio i hynny!
MRS HARRISON:	Os sonni di am dystio eto, y penbwl, mi gei fynd allan o'r lle 'ma rhag blaen. Fy nith druan, beth ddaw ohoni? Wyt ti'n chwerthin, y mochyn dideimlad, fel 'tai fy helbul wrth dy fodd?
TOMI:	Mi fedra i dystio i hynny!
MRS HARRISON:	Wyt ti'n gwneud hwyl am fy mhen? Mi ddysga i iti boeni dy fam, yr hen walch!
TOMI:	Mi fedra i dystio i hynny!

(Mae'n rhedeg i ffwrdd, a'i fam ar ei ôl. Daw Miss Harrison a Morwyn i mewn.)

MISS HARRISON:	Dyna greadur ydi'r tipyn brawd sydd gennyf, yn eu cyfeirio nhw i'r tŷ 'ma fel petai'n dŷ tafarn. Ha! ha! Ond nid wyf yn synnu.
MORWYN:	Gwaeth na hynny, madam; pan welodd y bonheddwr diarth chi'n pasio yn y dillad yna, fe ofynnodd i mi ai chi oedd y *barmaid*. Mae o'n credu mai *barmaid* ydach chi, madam.
MISS HARRISON:	Tewch â dweud! Wel, ar fy llw, fe gaiff ddal i gredu hynny. Dwedwch i mi, Ffanni, beth yw eich barn am y wisg 'ma. Onid yw'n gweddu i'r dim i fymryn o *barmaid?*
MORWYN:	Dyna'r dillad a wisgir gan bob *lady* mewn cylchoedd gwledig, madam, ac eithrio i ymweld neu i groesawu pobl ddiarth.

MISS HARRISON:	Ydach chi'n siŵr nad ydi o ddim yn cofio fy wyneb i? Oes dim peryg iddo fo 'nabod i?
MORWYN:	Dim peryg.
MISS HARRISON:	Yn wir, roeddwn i'n amau hynny; achos, er iddo ef a minnau gael sgwrs go hir, roedd mor swil ac ofnus ni feiddiodd edrych yn fy wyneb yr holl amser. A phetai wedi edrych, ni welsai ryw lawer oherwydd fy monet.
MORWYN:	Ond faint gwell fyddwch o'i gadw fo mewn anwybodaeth?
MISS HARRISON:	Yn gyntaf, mi gaf fy ngweld yn iawn; mae hynny'n fantais i eneth sy'n dibynnu ar dystiolaeth ei hwyneb. Yn ail, caf gyfle i'w 'nabod ef; a byddai hynny'n fuddugoliaeth fawr ar ddyn sy'n rhy swil i siarad â neb ond y merched mwyaf powld. Ond fy amcan pennaf yw cael cyfle i'w astudio heb iddo sylweddoli hynny, a chael mesur y cawr cyn mentro i'r frwydr.
MORWYN:	Ydach chi'n siŵr y medrwch chi actio'ch part, a newid digon ar eich llais a'ch dull?
MISS HARRISON:	O, peidiwch â phryderu. Rwy'n eitha cyfarwydd ag idiom y bar.
MORWYN:	Ydach, ran hynny. Ond dyma fo'n dŵad!

(Â'r forwyn allan a daw Meurig i mewn.)

MEURIG:	Y fath ddwndwr sydd ymhob rhan o'r tŷ. Ni chaf eiliad o heddwch yn unman. Os af i'r ystafell orau, yno mae'r tafarnwr a'i straeon. Os dringaf i'r oruwch-ystafell, yno mae gwraig y tŷ, a'i bowio a'i stŵr. O'r diwedd, dyma funud i mi fy hun, a chyfle i feddwl. *(Mae'n cerdded a myfyrio.)*
MISS HARRISON:	Oeddach chi'n galw, syr? Ddaru chi ordro rhywbeth?

MEURIG:	*(Yn synfyfyriol)* Ac am Miss Harrison, mae hi'n rhy sidêt a sentimental i mi.
MISS HARRISON:	Oeddach chi'n galw, syr? *(Mae'n sefyll o'i flaen, ac yntau'n troi i ffwrdd.)*
MEURIG:	Nac oeddwn, ferch. *(Yn dal i fyfyrio.)* A heblaw hynny, os cefais olwg iawn arni, mae ganddi lygaid croes.
MISS HARRISON:	Rwy'n siŵr imi glywed y gloch, syr.
MEURIG:	Naddo, naddo. *(Yn dal i fyfyrio.)* Sut bynnag, rwyf wedi plesio fy nhad trwy ddyfod yma, ac yfory caf fy mhlesio fy hun trwy fynd adref.

(Mae'n tynnu allan ei lyfr nodiadau, a darllen.)

MISS HARRISON:	Hwyrach mai'r bonheddwr arall oedd yn galw, syr?
MEURIG:	Nac e, meddaf. *(Mae'n edrych yn ei hwyneb.)* Oeddwn, ferch, mi oeddwn i'n galw. Eisiau - eisiau - Ar fy llw, ferch, rydach chi'n bropor werth chweil.
MISS HARRISON:	O, na, syr; mi wnewch imi wrido.
MEURIG:	Weles i 'rioed lygaid mwy siriol-ddireidus. Oeddwn, mi oeddwn i'n galw, cariad. Oes yma dipyn o - y - be dach chi'n 'i alw fo yn y tŷ?
MISS HARRISON:	Nac oes, syr, mae hwnnw wedi gorffen ers pythefnos.
MEURIG:	Tydw i fawr haws, mi welaf, o alw heibio'r tŷ hwn. Ond beth pe gofynnwn, fel rhyw arbraw yn unig, am ganiatâd i brofi neithdar eich gwefusau; hwyrach mai ofer fydd hynny hefyd.
MISS HARRISON:	Neithdar! Neithdar! Fydd neb byth yn gofyn am y ddiod honno y ffordd yma. Diod Ffrengig, mae'n debyg? Tydan ni ddim yn gwerthu gwin Ffrainc, syr.

MEURIG:	Diod hollol Gymreig, coeliwch fi.
MISS HARRISON:	Peth od na chlywswn i amdano fo. Rydan ni'n bragu gwin o bob math yn y tŷ yma, ac rydw i'n byw yma ers deunaw mlynedd.
MEURIG:	Deunaw mlynedd! Oeddach chi'n cadw'r bar cyn eich geni? Beth yw eich oed?
MISS HARRISON:	O, syr, wiw imi ddweud fy oed. Camgymeriad, meddan nhw, ydi sôn am oedran merched a miwsig.
MEURIG:	Ac edrych o'r pellter yma, fedrwch chi ddim bod rhyw lawer dros ddeugain. *(Yn nesu.)* Ond, wedi dyfod yn nes, fel hyn, rydw i'n eich gweld yn iengach. *(Yn nesu.)* Po agosaf yr eir at rai merched, iengaf yn y byd y maent yn edrych; ond wedi dyfod yn nes fyth - *(Mae'n ceisio'i chusanu.)*
MISS HARRISON:	Rŵan, rŵan, syr, nid yn rhy agos! Does bosib eich bod am wybod fy oed trwy sbio'n fy ngheg, fel 'tawn i'n geffyl!
MEURIG:	O, chwarae teg, cariad; rydach chi'n gwneud cam â mi. Os wyf i gadw draw fel hyn, sut y gellwch chi a minnau ddod i 'nabod ein gilydd?
MISS HARRISON:	A phwy sy'n dymuno eich adnabod? Nid fi, beth bynnag. Rydw i'n siŵr nad oeddach chi ddim yn trin Miss Harrison, gynnau, mor bethma. O'i blaen *hi*, roeddach chi'n bowio i'r llawr bob cynnig, mi wranta', ac yn siarad fel 'tasach chi o flaen ustus heddwch.
MEURIG:	*(O'r neilltu)* Dyna daro'r hoelen ar ei phen, rwy'n cyfaddef. *(Wrthi hi)* Ei hofn hi, cariad? Ha! ha! ha! Rhyw bwt o hogan llygad croes a sychlyd. Dim peryg. Tydach chi ddim yn fy 'nabod i. Fedrwn i lai na chwerthin am ei phen, a dweud y drefn wrthi, ond heb fod yn rhy lawdrwm. O, na, fedrwn i ddim bod yn lawdrwm iawn.

MISS HARRISON:	Rydach chi'n dipyn o ffefryn gan y *ladies,* mae'n debyg?
MEURIG:	Ydw, 'nghariad i, yn ffefryn mawr. Ac eto, dwn i ddim pam. Yr enw arnaf yn y *Ladies Club* yn Lerpwl ydi 'Rwdlyn'. Ie, 'nghariad i, 'Rwdlyn'; ond nid dyna f'enw iawn i, cofiwch. Fy enw iawn i yw 'Solomons'; Mr Solomons, cariad - at eich gwasanaeth. *(Mae'n ceisio gafael yn ei llaw.)*
MISS HARRISON:	Ara' deg, syr. I'ch Clwb rydach chi'n fy nghyflwyno rŵan, nid i chi'ch hun. Rydach chi'n ffefryn mawr yn y fan honno felly?
MEURIG:	Ydw, cariad. Mrs Mantrap, Lady Blackleg, Madam Sligo, Mrs Langhorns, yr hen Miss Beti Buckskin, a'ch ufudd was, sy'n cadw ysbryd y lle i fyny.
MISS HARRISON:	Mae o'n glwb *jolly* iawn, mae'n amlwg.
MEURIG:	Mor *jolly* ag y dichon cardiau, swper, gwin a hen ferched ei wneud o.
MISS HARRISON:	A Rwdlyn ar ben hynny. Ha! ha! ha!
MEURIG:	*(O'r neilltu)* Nid wyf yn hoffi'r groten fach 'ma gymaint â hynny, chwaith. Mae golwg gyfrwys arni braidd. Rydach chi'n chwerthin, cariad.
MISS HARRISON:	Fedra i yn fy myw beidio, wrth feddwl sut mae'r bobol 'ma'n cael amser i'w gwaith ac amser i'w teuluoedd.
MEURIG:	*(O'r neilltu)* Mae popeth yn dda. Nid am fy mhen *i* roedd hi'n chwerthin. *(Wrthi hi)* Fyddwch chi'n gweithio, 'nghariad i?
MISS HARRISON:	Byddaf, debyg iawn. Mae pob sgrin a phob cwilt yn y tŷ 'ma'n tystio i hynny.

MEURIG:	Felly'n wir! Wel, beth am ddangos tipyn o'ch gwaith gwnïo imi. Byddaf yn brodio a gwneud patrymau fy hunan, weithiau. Os carech gael barn ar eich gwaith, gofynnwch i mi. *(Mae'n gafael yn ei llaw.)*
MISS HARRISON:	Ie, ond tydi'r lliwia' ddim yn 'dangos' yn iawn yng ngolau cannwyll. Cewch eu gweld yn y bore. *(Mae'n ceisio ymryddhau.)*
MEURIG:	Pam nad rŵan, f'annwyl i? Mae prydferthwch fel hyn yn cyffroi dyn tu hwnt i ymatal. Yn boeth y bo ond, dyma'r hen ddyn. Does dim lwc na llwyddiant i mi.

(Â Meurig allan. Daw Mr Harrison i mewn a sefyll yn syn.)

MR HARRISON:	Felly'n wir, Madam. Ai *dyma* dy gariadlanc *swil?* Ai dyma'r edmygedd a gadwai'i lygaid i lawr, a'th addoli o bell? Kate, Kate, oes arnat ti ddim cywilydd twyllo dy dad fel hyn?
MISS HARRISON:	Peidiwch â'm coelio byth eto, 'nhad bach, os nad yw yr un mor wylaidd ag erioed. Gallaf eich argyhoeddi cyn hir fod hynny'n ffaith.
MR HARRISON:	Myn f'enaid i, mae'i wyneb-galedwch o'n heintus. Oni welais ef yn gafael yn dy law? Oni welais ef yn dy halio o gwmpas fel morwyn ffarm? Ac yn awr, dyma ti'n sôn am ei swildod bondigrybwyll!
MISS HARRISON:	Ond os gallaf, toc, eich argyhoeddi nad oes ynddo ddim ond ffaeleddau sy'n siŵr o ddiflannu gydag amser, rwy'n gobeithio y caiff faddeuant gennych.
MR HARRISON:	Ydi'r eneth yn ceisio fy ngyrru'n llwyr o 'ngho! Rydw i'n dweud wrthyt, - chymera i mo fy argyhoeddi. Rwy'n argyhoeddedig eisoes. Does dim ond teirawr er pan ddaeth i'r tŷ, ac mae o eisoes yn sathru fy holl hawliau dan draed. Galw di'r peth yn lledneisrwydd, os mynni: ond rhaid i'm mab-yng-nghyfraith i gael gwell cymwysterau na hyn.

MISS HARRISON: Syr, fe'ch darbwyllaf heno nesaf.

MR HARRISON: Tydw i ddim yn bwriadu aros hyd hynny. Rydw i'n debyg o'i droi allan o'r tŷ cyn pen awr.

MISS HARRISON: Rhowch *un* awr imi, ynteu, ac yna fe'ch argyhoeddaf yn llwyr.

MR HARRISON: O'r gorau, dim ond awr. Ond chei di ddim cymryd dy dad yn ysgafn. Pob peth yn onest a theg, cofia hynny.

MISS HARRISON: Rwy'n gobeithio, syr, fy mod bob amser yn ufudd i'ch gorchmynion, ac yn falch o'r ffaith. Hyd yma, oherwydd eich caredigrwydd, ni bu cweryl rhwng tuedd a dyletswydd yn fy nghalon erioed.

(Ânt allan.)

ACT IV

Yr un olygfa.
Daw Henry a Miss Ellis i mewn.

HENRY: Rydych wedi fy synnu: Syr Charles Meurig yn dod yma heno! Pwy ddwedodd wrthych?

MISS ELLIS: Mae'r peth yn hollol wir. Gwelais ei lythyr at Mr Harrison. Bwriadai gychwyn ymhen ychydig oriau ar ôl ei fab.

HENRY: Os felly, Nesta, rhaid gorffen popeth cyn iddo gyrraedd. Mae o yn fy 'nabod, a phe gwelai fi yma, fe ddatguddiai f'enw, ac efallai fy mwriad, i weddill y teulu.

MISS ELLIS: Mae'r perlau'n ddiogel, gobeithio?

HENRY: Ydyn, ydyn; fe'u hanfonais i Meurig, sy'n cadw allweddi ein *luggage.* Yn y cyfamser af i baratoi ar gyfer ein diflaniad. Mae Tomi wedi addo pâr ffres o geffylau, ac os na welaf o eto, mi 'sgrifennaf gyfarwyddiadau pellach iddo.

(Â allan.)

MISS ELLIS: Wel, pob llwyddiant ichwi. Ac yn awr af innau i ddifyrru fy modryb gyda'r hen orchwyl o ffugio serch angerddol at fy nghefnder.

(Â allan. Daw Meurig i mewn, a gwas yn ei ddilyn.)

MEURIG: 'Sgwn i pam roedd Henry yn anfon cist fach mor werthfawr i mi i'w chadw, ac yntau'n gwybod mai'r unig le sydd gennyf yw sedd y cerbyd wrth ddrws y dafarn. Ddaru chi gyflwyno'r gist fach i'r *landlady* fel y dwedais wrthych? Roesoch chi'r gist yn 'i dwylo hi?

GWAS: Do, syr.

MEURIG:	Ddwedodd hi y buasai'n ei chadw'n ddiogel?
GWAS:	Do, yn bendant, syr; ond gofynnodd imi hefyd ymhle cefais i'r gist, a deud bod arni awydd ofnadwy gwneud imi egluro fy holl symudiadau!

(Mae'r Gwas yn gadael.)

MEURIG:	Ha! ha! ha! Sut bynnag, mae'r pethau'n saff. Dyna griw o bobl ryfedd y daethom i'w plith! Ond mae'r *barmaid* fach yna wedi llyncu fy meddwl yn llwyr, ac yn gwneud imi anghofio stranciau gweddill y teulu. Fi piau hon; mi fynnaf ei chael, neu mi lyncaf fy nghap.

(Daw Henry i mewn.)

HENRY:	Brensiach, anghofiais ddweud wrthi y byddaf yn disgwyl amdani wrth waelod yr ardd. Ha! Meurig yma, ac mewn hwyliau da hefyd!
MEURIG:	George, bydd lawen gyda mi. Rho goron buddugoliaeth ar fy mhen! Wel, George, tydi'r dynion swil ddim mor aflwyddiannus gyda'r merched wedi'r cwbl!
HENRY:	Gyda *rhai* merched, efallai. Ond pa lwyddiant sy'n peri iti fod mor ddychrynllyd o geiliogaidd yn awr?
MEURIG:	Welaist ti mo'r tamaid blasus, prydferth, bywiog sy'n gwibio o gwmpas y tŷ 'ma, gyda chlwstwr o allweddi wrth 'i gwregys?
HENRY:	Wel, beth am hynny?
MEURIG:	Fi piau hi, fachgen! Y fath dân, y fath fynd, y fath lygaid, y fath wefusau: ond, O, chawn i mo'u cusanu nhw - ysywaeth.
HENRY:	Ond, a wyt yn siŵr, yn ddigon siŵr, ohoni?

MEURIG:	Fachgen, fe soniodd am ddangos ei gwaith gwnïo imi uwchben y grisiau; rwyf innau i wella'r patrwm iddi.
HENRY:	Ond sut y gelli *di,* Charles, freuddwydio am ysbeilio yr un ferch o'i henw da?
MEURIG:	Twt! Fe wyddom i gyd am enw da *barmaid.* Nid wyf yn bwriadu ei hysbeilio, coelia fi: does dim yn y tŷ hwn na thalaf yn onest amdano.
HENRY:	Mae ganddi beth rhinwedd, ond odid.
MEURIG:	Ac os oes, fi fyddai'r olaf i geisio'i lygru.
HENRY:	Rydw i'n gobeithio dy fod wedi cymryd pob gofal o'r gist a yrrais iti i'w chadw. Ydi hi'n ddiogel?
MEURIG:	Ydi, mae hi'n berffaith saff iti. Ond sut yr oeddet yn disgwyl iddi fod yn ddiogel yn sedd y cerbyd wrth ddrws tŷ tafarn? O, y dwlyn! Roedd gennyf well syniad na thi sut i'w diogelu. Rwyf wedi -
HENRY:	Wedi beth?
MEURIG:	Wedi ei hanfon i'r *landlady* i'w chadw iti.
HENRY:	I'r *landlady?*
MEURIG:	Ie, i'r *landlady.*
HENRY:	Ai dyna wnaethost â'r gist?
MEURIG:	Ie, mae'r *landlady* yn gyfrifol am ei dwyn i'r golwg drachefn.
HENRY:	Ei dwyn i'r golwg yn ddiamau!
MEURIG:	Oni wneuthum yn iawn? Gelli fentro cyfadde' fy mod wedi gweithredu'n ddoeth am unwaith.

HENRY:	*(O'r neilltu)* Wiw iddo weld fy anesmwythyd.
MEURIG:	Ond mae rhyw olwg anniddig arnat, braidd. Oes rhywbeth o'i le?
HENRY:	Nac oes, dim o gwbl. Fûm i 'rioed mewn gwell hwyliau. Ac fe'i gadewaist dan ofal y *landlady:* roedd hithau, mae'n siŵr, yn barod iawn i'w chymryd?
MEURIG:	Yn *rhy* barod, fachgen. Nid yn unig fe gadwodd y gist; ond yn feddylgar dros ben, bu agos iddi gadw'r negesydd hefyd. Ha! ha! ha!
HENRY:	Hi! hi! hi! Maent yn ddiogel, beth bynnag.
MEURIG:	Fel sofren ym mhwrs cybydd!
HENRY	*(O'r neilltu)* Dyna 'ngobeithion ariannol yn deilchion. Rhaid inni gychwyn i ffwrdd yn waglaw. *(Wrtho ef)* Wel, Charles, cei lonydd yn awr i freuddwydio am y *barmaid* bert yma; a hei lwc - hi! hi! hi! - y byddi'r un mor llwyddiannus yn d'achos dy hun ag y buost yn f'achos *i.*

(Â allan.)

MEURIG:	Diolch yn fawr, George: dyna'r cwbl a ddymunaf. Ha! ha! ha!

(Daw Mr Harrison i mewn.)

MR HARRISON:	Rwyf wedi colli 'nabod ar fy nhŷ fy hun. Mae'r lle'n strim-stram-strellach. Mae'i weision o eisoes wedi meddwi. Tydw i ddim am ddiodde' rhagor; ac eto, o barch i'w dad, mi geisiaf fod yn dawel. *(Wrtho ef)* Mr Meurig, at eich gwasanaeth, eich ufudd, ufudd was. *(Mae'n gwyro'n isel.)*
MEURIG:	Syr, eich ufudd was chwithau. *(O'r neilltu)* Beth sy'n mynd i ddigwydd rŵan?

MR HARRISON:	Credaf, syr, y gwyddoch yn dda, syr, na ddylai undyn byw gael mwy o groeso na mab eich tad, syr. Rydach chitha'n credu hynny, mae'n debyg?
MEURIG:	Â'm holl enaid, syr. Does dim angen pwysleisio'r peth. Mae'n arfer gennyf gael croeso fel mab fy nhad ble bynnag yr af.
MR HARRISON:	Rwyf inna', â'm holl enaid, yn credu eich bod yn deud y gwir. Wrth gwrs, ni ddwedaf ddim amdanoch chwi'ch hun - ond am eich gweision, mae'u hymddygiad nhw yn annioddefol. Mae'r ffordd maen nhw'n yfed, coeliwch fi, yn dwyn gwarth ar y tŷ 'ma.
MEURIG:	Fy annwyl syr, nid arnaf fi mae'r bai am hynny. Os nad ydynt yn yfed fel y dylent, arnynt hwy mae'r bai. *(Yn gweiddi i'r ochr)* Hai! deled un o'm gweision yma. *(Wrtho ef)* Rhoddais orchymyn pendant iddynt, gan nad wyf yn yfed fy hun, eu bod hwy'n gwneud iawn am y diffyg yn y gwaelod yna.
MR HARRISON:	Felly, cawsant eich caniatâd chwi i wneud hyn? Rwy'n deall!
MEURIG:	Do, yn siŵr ichwi. Cewch glywed gan un ohonynt.

(Daw Gwas i mewn, yn feddw.)

MEURIG:	Jeremi, tyrd yma. Beth ddwedais i wrthych? Onid dweud wrthych am yfed yn rhwydd ac yn rhydd, a galw am ddiod fel y mynnech, er lles y tŷ?
MR HARRISON:	*(O'r neilltu)* Rwy'n dechrau colli fy 'mynedd.
JEREMI:	Felly'n union, syr. Rhwyddineb a rhyddid am byth, syr. Tydw i ddim ond gwas, ond rydw i cystal ag unrhyw ddyn arall. Wna i ddim yfed i neb cyn swper syr, 'tawn i'n marw. Mae cwrw da'n sefyll yn gampus ar swper da, ond tydi swper da ddim yn sefyll - *(igian)* - ar fy nghydwybod i, syr.

MEURIG: Chwi welwch, hen gyfaill, fod y creadur mor feddw ag sy bosib' iddo fo. Ni wn beth a ddymunech, os na hoffech ei foddi mewn casgen gwrw.

MR HARRISON: *(O'r neilltu)* Mi fydda i'n wallgo os ceisiaf ddal rhagor o hyn. *(Wrtho ef)* Mr Meurig, syr, rydw i wedi dioddef eich hyfdra am fwy na phedair awr, a does dim arwydd ei fod am ddŵad i ben. Rydw i'n benderfynol o fod yn feistr yn y lle 'ma, syr, a gofynnaf i chwi a'ch criw meddw ymadael â'm tŷ yn ddi-oed.

MEURIG: Gadael eich tŷ! Rydych yn smalio, gyfaill, bid sicr! Beth, a minnau'n gwneud fy ngorau glas i'ch plesio?

MR HARRISON: Rydw i'n deud wrthych chi, syr, tydach chi ddim yn fy mhlesio; ac felly, ffwrdd â chi.

MEURIG: Does bosib eich bod o ddifrif? Yr adeg yma o'r nos, a'r fath noson!

MR HARRISON: Mi hoffwn ichi ddeall, syr, 'mod i'n berffaith ddifrifol. A chan 'mod i wedi llwyr wylltio, gadewch imi ddeud wrthych chi mai fy nhŷ i ydi hwn. Ac felly, ewch oddi yma gynta' medrwch chi.

MEURIG: Ha! ha! ha! Storm mewn cwpan de! Ni symudaf fodfedd, coeliwch fi. *(Yn ddifrifol)* Eich tŷ chi'n wir! Fy nhŷ i ydy hwn, gyfaill. Fy nhŷ i, tra dewisaf aros yma. Pa hawl sydd gennych chwi i'm gyrru allan o'r tŷ hwn, syr? Welais i 'rioed y fath wyneb-galedwch; naddo, 'rioed yn fy mywyd!

MR HARRISON: Na finna', chwaith, myn gafr i. Dŵad i mewn i 'nhŷ i, ordro'r peth yma a'r peth arall, fy hel oddi ar fy 'nghadair fy hun, annog ei weision i feddwi, ac wedyn deud wrthyf - "Fy nhŷ i ydi hwn, syr". Myn gafr i, mae o'n gwneud imi chwerthin. Ha! ha! ha! Bobol annwyl, ddyn bach, *(Yn goeglyd)* os ydach chi'n dwyn y tŷ, beth am ddwyn y gweddill o'r dodrefn? Dyna ddau ganhwyllbren arian, dyna *fire-screen,* a dyma fegin drwyn pres; oes gennych chi ddim ffansi atyn nhw?

MEURIG: Dowch â'ch bil imi, gyfaill; dowch â'ch bil, a dim chwaneg o faldorddi.

MR HARRISON: Dyna set o bictiwrs hefyd. Beth ddyliech chi o'r Mab Afradlon, i'w osod yn eich stafell breifat?

MEURIG: Dowch â'ch bil, syr; ac fe'ch gadawaf chwi a'ch tŷ bondigrybwyll ar f'union.

MR HARRISON: A dyna fwrdd mahogani y medrwch chi weld eich wyneb ynddo fo.

MEURIG: Dowch â'r bil, ddyn.

MR HARRISON: Rown i wedi anghofio'r gadair freichia', er mwyn ichi gael hepian ynddi ar ôl pryd da o fwyd.

MEURIG: Dowch â'r bil, meddaf eto, a boed diwedd ar eich lol.

MR HARRISON: Ŵr ifanc, ŵr ifanc, oddi wrth lythyr eich tad imi, rown i'n disgwyl dyn gwylaidd a bonheddig yn ymwelydd yma, a rŵan dyma fi'n ffeindio coegyn a bwli; ond mi ddaw o yma toc, ac mi gaiff glywed yr holl hanes.

(Â allan.)

MEURIG: Beth yw hyn? Tybed fy mod wedi camgymryd y tŷ? Mae'r lle'n ddigon tebyg i dafarn. Mae'r morynion yn ateb - "O'r gorau"; mae'r *barmaid* yn gweini arnom. Ond, dyma hi'n dyfod; caf eglurhad ganddi hi. Beth ydi'r brys, cariad? Hanner munud.

(Daw Miss Harrison i mewn.)

MISS HARRISON: Dim ond hanner munud. Rwyf ar frys. *(O'r neilltu)* Credaf ei fod yn dechrau gweld ei gamgymeriad. Ond mae'n rhy fuan i'w ddarbwyllo.

MEURIG:	Gwrandwch, cariad. Atebwch un cwestiwn imi. Beth ydych chwi, a beth yw eich safle yn y tŷ hwn?
MISS HARRISON:	Perthynas i'r teulu, syr.
MEURIG:	Perthynas dinod, mae'n debyg?
MISS HARRISON:	Ie, perthynas tlawd a benodwyd i gadw'r 'goriada', a gofalu bod gwesteion yn cael pob sylw angenrheidiol.
MEURIG:	Mewn gair, chwi yw *barmaid* y dafarn?
MISS HARRISON:	Y dafarn. Gwarchod pawb, beth wnaeth ichwi dybio mai tafarn ydi'r tŷ hwn? Un o'r teuluoedd gorau yn y wlad yn cadw tafarn - Ha! ha! ha! - cartref Mr Harrison yn dŷ tafarn!
MEURIG:	Tŷ Mr Harrison? Ai tŷ Mr Harrison ydi hwn?
MISS HARRISON:	Siŵr iawn. Beth arall all'sai fod?
MEURIG:	Wel, wel; fe'm twyllwyd yn greulon! O, beth ddaeth dros fy mhen i? Byddaf yn gyff gwawd drwy Lerpwl i gyd. Bydd fy llun yn yr holl bapurau ac yn destun sbort i bawb. Camgymryd hen gyfaill fy nhad am dafarnwr! Rhaid ei fod yn credu mai cranc digywilydd ydwyf. Dyna, beth bynnag, fy marn amdanaf fy hun. A'r peth gwaethaf o'r cwbl, cariad, tybiais mai'r *barmaid* oeddych *chwi!*
MISS HARRISON:	Diar mi, diar mi. Rwy'n siŵr nad oes dim yn fy holl ymddygiad i'm gosod ar y lefel honno.
MEURIG:	Dim o gwbl, cariad, dim o gwbl. Ond gan fy mod wedi dechrau cyfeiliorni, fe wneuthum gamgymeriad ynglŷn â chwithau. Yn fy ffolineb, edrychwn ar bopeth o'r tu chwith. Wrth eich gweld mor barod i wasanaethu arnaf, tybiais fod gennych amcan mewn golwg. Ond mae'r cwbl drosodd. Nid wyf am ddangos fy wyneb yn y tŷ hwn eto.

71

MISS HARRISON:	Gobeithio, syr, na wneuthum ddim i'ch tramgwyddo. Byddai'n ddrwg gennyf ddigio bonheddwr cwrtais a ddywedodd gymaint o bethau mor suful wrthyf. Byddai'n arw gennyf *(yn cymryd arni wylo)* eich gweld yn troi cefn ar y teulu o'm hachos i. Byddai'n boen imi glywed pobl yn beio, a minnau heb unrhyw gyfoeth heblaw cymeriad.
MEURIG:	*(O'r neilltu)* Y Nefoedd fawr, mae hi'n wylo. Dyma'r tynerwch cyntaf erioed a ddangoswyd imi gan ferch ifanc barchus. Rwy'n teimlo'r peth i'r byw. *(Wrthi hi)* Fy ngeneth dlos, maddeuwch imi; chwi yw'r unig aelod o'r teulu y mae'n gas gennyf droi cefn arno. Ond - a bod yn onest - mae'r gwahaniaeth anffodus sy rhyngom o ran tras ac addysg a safle, yn gwneuthur unrhyw gyswllt anrhydeddus yn amhosibl; ac ni allaf goleddu'r syniad o dwyllo eich diniweidrwydd, a dwyn gwarth ar un nad oes dim bai arni ond ei thlysni.
MISS HARRISON:	*(O'r neilltu)* Mor eangfrydig! Rwy'n awr yn dechrau'i edmygu. *(Wrtho ef)* Ond rwy'n sicr fod fy nheulu cystal ag eiddo Mr Harrison; ac os wyf yn dlawd, nid yw hynny'n anffawd i galon ddi-genfigen. Ni feddyliais erioed hyd yn awr fod diffyg cyfoeth yn fai.
MEURIG:	A pham 'yn awr', eneth dlos?
MISS HARRISON:	Am ei fod yn creu pellter rhyngof ac un y rhown bopeth iddo - ie, mil o bunnau pe baent gennyf i'w rhoi.
MEURIG:	*(O'r neilltu)* Mae'i diniweidrwydd yn fy swyno'n gyfan gwbl, ac os arhosaf yn hwy, fe'm gorchfygir. Mi wnaf un ymdrech ddewr i ymadael â hi. *(Wrthi hi)* Mae'ch ffafr tuag ataf, ferch annwyl, yn cyffwrdd fy nghalon, a phe bawn yn gwbl rydd i ddewis fy llwybr, mi wn beth a wnawn. Ond rwyf yn gaeth i farn pobl eraill, ac i awdurdod fy nhad; ac felly, er mor anodd gennyf gyfaddef y gwir, rwy'n ddiymadferth. Ffarwel.

(Â allan.)

MISS HARRISON: Ni wyddwn o'r blaen ei fod cystal dyn. Chaiff o ddim mynd i ffwrdd os gall dawn ac ystryw o'r eiddof ei atal. Rwyf wedi "plygu i orchfygu" trwy ffugio bod yn forwyn tafarn, ac mi ddaliaf i actio'r part am dipyn eto. Ond mi agoraf lygaid fy nhad i'r ffeithiau; hwyrach y gall ef ei chwerthin allan o'i benderfyniad.

(Â allan. Daw Tomi a Miss Ellis i mewn.)

TOMI: Ia, fe gewch chi'ch hunain ddwyn petha' y tro nesa'. Rydw i wedi gwneud fy rhan. Mae hi wedi cael y perlau'n ôl, mae hynny'n ddigon siŵr; ond y gweision sy'n cael y bai.

MISS ELLIS: Ond Tomi annwyl, wnewch chi mo'n gadael ni yn y picil yma? Os bydd hi'n amau am eiliad fy mod yn cychwyn i ffwrdd, mae hi'n siŵr o'm rhoi dan glo, neu 'ngyrru at fy modryb Emily - peth sy'n llawer gwaeth.

TOMI: Twbi shŵar! Petha' ofnadwy ydi modrabedd. Ond be fedra i 'neud? Rydw i wedi cael pâr o geffyla' fel milgwn ichi; a fedrwch chi ddim gwadu na ddaru mi actio cariad ardderchog ichi o dan 'i thrwyn hi. Dyma hi'n dŵad, rhaid inni garu tipyn eto, rhag iddi'n hama' ni.

(Ânt o'r neilltu gan ffugio caru. Daw Mrs Harrison i mewn.)

MRS HARRISON: Wel, roeddwn wedi cynhyrfu tipyn, mae'n wir; ond mae Tomi'n dweud mai camgymeriad y gweision oedd y cwbl. Eto i gyd, fydda i ddim yn hapus nes priodan nhw, ac wedyn caiff gadw ei pherlau ei hun. Ond, beth a welaf? Caru o'i hochr i, ar fy llw. A Tomi'n fwy bywiog nag erioed. A, dyma fi wedi'ch dal chi! Sisial a chwynfan a gwasgu, aie?

TOMI: Sôn am gwynfan, mam bach, rydan' ni'n grwgnach tipyn ambell dro, twbi shŵar. Does 'na ddim gwastraffu cariad rhyngom ni.

73

MRS HARRISON:	Mae tipyn bach o ffraeo yn fantais ambell dro.
MISS ELLIS:	Mae Tomi'n addo rhoi mwy o'i gwmni inni ar ôl hyn. Yn wir chaiff o mo'n gadael mwy. *(Wrth Tomi)* Mae Tomi wedi addo peidio troi cefn arnom, onid ydyw?
TOMI:	O, mae hi'n gariad i gyd ... Mae hi'n gwenu mor fendigedig o dlws.
MISS ELLIS:	Tomi annwyl! Pwy all lai nag edmygu'r hiwmor naturiol yna, a'r wyneb coch, siriol, llydan, difeddwl *(yn patio'i wyneb.)* ... O! mae o'n wyneb mor ddynol.
MRS HARRISON:	A diniweidrwydd hoffus!
TOMI:	O, rydw i bob amser yn dotio ar lygaid brown Nesta, a'r bysedd hirion del 'ma, sy'n troi a throsi ar y piano, fel gwenoliaid.
MRS HARRISON:	A mi fasa'r hogyn 'ma'n swyno 'deryn oddi ar y gangen. Fûm i 'rioed mor hapus yn fy mywyd. Mae o'n union 'run fath â'i dad, Mr Wilkins druan. Chi biau'r perlau, Nesta bach, yn ddigamsyniol. Mi cewch nhw. On' tydi o'n hogyn annwyl, Nesta? Mi gewch briodi 'fory nesa, ac fe gaiff gweddill 'i addysg o aros, fel pregetha' Mr Malwen, tan rywdro eto.
(Daw Roli i mewn.)	
ROLI:	Ble mae'r sgweiar? Mae gen i lythyr ichi, syr.
TOMI:	Rhowch o i mam. Hi sy'n darllen fy llythyra' gynta' bob amser.
ROLI:	Mi ges ordors i'w roi o yn eich dwylo *chi*.
TOMI:	Oddi wrth bwy *mae* o?
ROLI:	O, syr, rhaid ichi ofyn hynny i'r llythyr ei hun.

74

TOMI:	Mi hoffwn i wybod beth bynnag *(yn troi'r llythyr o gwmpas ac yn syllu arno).*
MISS ELLIS:	*(O'r neilltu)* Mae popeth ar ben. Llythyr oddi wrth Henry. Rwy'n 'nabod y 'sgrifen. Os gwêl fy modryb hwn, rydym wedi ein difetha am byth. Fe geisiaf fynd â'i sylw hi am dipyn, os gallaf. *(Wrth Mrs Harrison)* O, mi anghofiais ddeud wrthych, madam, am atebiad Tomi gynnau i Mr Meurig. Wel, sôn am chwerthin. Gadewch imi egluro, madam. Dowch yn nes yma, rhag iddo'n clywed ni.

(Maent yn cyd-sgwrsio.)

TOMI:	*(Yn dal i syllu)* Weles i ddim traed brain mor felltigedig erioed. Mi fedra i ddarllen print yn o lew; ond efo rhyw goesa' a chustia' a leinia' fel hyn, fedra i wneud na phen na chynffon ohonyn nhw. "At Thomas Wilkins, Ysgweier". *Mae* o'n beth od: mi fedra i ddarllen f'enw fy hun tu allan yn eitha'; ond am y tu mewn, mae o i gyd - fel y fagddu. O, mae o'n andros o beth, achos y tu mewn bob amser y mae hufen yr ohebiaeth.
MRS HARRISON:	Ha! ha! ha! Reit dda, reit dda. Ac roedd Tomi'n ormod o ddyn i'r ffilosoffar.
MISS ELLIS:	Oedd, Madam; ond gwrandewch ar y gweddill. Dowch dipyn yn nes, neu fe glyw'r cwbl. Cewch glywed sut y drysodd o 'chwaneg arno.
MRS HARRISON:	Mae o mewn dryswch go fawr 'i hun rŵan, faswn i'n meddwl.
TOMI:	*(Yn dal i syllu)* 'Sgrifen *up-and-down* drybeilig, fel 'sgrifen dyn wedi meddwi. *(Yn darllen)* Annwyl Syr, - ie, dyna ydi hwnna. Wedyn M a T ac S, ond prun 'ta' B 'ta R ydi'r nesa y Nefoedd a ŵyr - d'wn *i* ddim.
MRS HARRISON:	Beth sydd, cariad? Fedra i dy helpu di?

MISS ELLIS:	'Rhoswch, modryb, gadewch i *mi* ei ddarllen. Fedr neb ddarllen 'sgrifen fân yn well na fi. *(Yn cipio'r llythyr o'i law)* Wyddoch chi oddi wrth bwy mae o?
TOMI:	Dim syniad, os nad oddi wrth Cochyn, y porthmon.
MISS ELLIS:	Ie, rydach chi'n iawn. *(Yn ffugio darllen)* Annwyl Sgweiar, gobeithio eich bod mewn iechyd da, fel finnau ar hyn o bryd. Mae hogiau'r Clwb Sach-gwd wedi rhoi curfa dan gamp i hogia'r Cae-crin. Roedd y sgarmes - ym - y fatl fawr - ym - hwde, hwde, - tydi o'n sôn am ddim ond am geiliogod ac ymladd: dim byd o bwys: hwde, cadw fo, cadw fo. *(Yn gwthio'r llythyr gwasgedig i'w law.)*
TOMI:	Ond, rhoswch, Miss, mae o'n bwysig ofnadwy. Faswn i ddim yn colli'r gweddill am bris yn y byd. Hwdiwch o, mam, darllenwch *chi* o. Dim byd o bwys, yn wir! *(Yn rhoi'r llythyr i Mrs Harrison.)*
MRS HARRISON:	Beth ydi hyn? *(Yn darllen)* "Annwyl Sgweiar. Rwy'n awr yn disgwyl am Miss Ellis, gyda cherbyd, wrth waelod yr ardd, ond nid yw fy ngheffylau i wedi dadflino digon. Rwy'n siŵr y gwnewch chi ein helpu gyda phâr o geffylau ffres, fel yr addawsoch. Does dim amser i'w golli, neu mae'r hen wrach *(ie, yr hen wrach)* eich mam, yn siŵr o'n hamau! Yr eiddoch, Henry". Gras y Nefoedd! Rydw i bron yn wallgo! Bron tagu gan wylltineb!
MISS ELLIS:	Gobeithio, Madam, y byddwch bwyllog am ychydig, a pheidio rhoi'r bai arna i am unrhyw ddiffyg cwrteisi neu fwriad twyllodrus o eiddo rhywun arall.
MRS HARRISON:	*(Yn gwyro hyd lawr)* Geiriau gwych, madam. Rydach chi'n wyrthiol o gwrtais a thirion; yn fodel o foneddigeiddrwydd a meddylgarwch. *(Yn newid ei thôn)* A thithe, y penbwl hurt, a phrin ddigon o synnwyr i gadw dy geg ynghau. Oeddet titha'n cynllwynio yn f'erbyn i? Ond mi rof gaead ar eich piser y funud 'ma.

Amdanoch chi, madam, gan fod gennych bâr o geffylau
yn barod, mi fasa'n greulon eich siomi. Ac felly, os
gwelwch chi'n dda, yn lle rhedeg i ffwrdd efo'ch
"fancy man" byddwch yn barod, mewn munud, i redeg
i ffwrdd efo fi - at eich Modryb Emily. Mi roiff hi
gaethiwed arnoch chi, mi wranta'. A thitha', syr, dos i
nôl dy geffyl, a chadw gwmpeini inni ar y ffordd. Hai,
Tomos, Roger, Roli! Mi ddangosa i 'mod i'n dymuno'n
well i chi hyd yn oed na chi'ch hunain.

(Â allan.)

MISS ELLIS: Wel, dyna hi ar ben arnaf!

TOMI: Does dim amheuaeth am hynny.

MISS ELLIS: Beth arall ellid ei ddisgwyl wrth ddibynnu ar ffŵl mor
hurt - a minnau wedi nodio a gwneud pob math o
stumiau arno!

TOMI: Myn coblyn i, Miss, nid fi oedd yn hurt, ond chi oedd
yn rhy glyfar - dyna'r felltith. Roeddach chi mor neis
ac mor brysur efo'ch Sach-gwd a'ch Cae Crin, ddaru mi
ddim dychmygu mai twyllo'r oeddech chi.

(Daw Henry i mewn.)

HENRY: Rwy'n clywed gan fy ngwas, syr, eich bod wedi dangos
fy llythyr, a'n bradychu. Beth oedd eich meddwl, ŵr
ifanc?

TOMI: Dyma un arall. Gofynnwch i Miss Nesta. Hi ddaru
ddrysu petha, nid fi.

(Daw Meurig i mewn.)

MEURIG: Wel, ar fy ngwir, rydych wedi gwneud tro sâl â mi.
Fe'm gwnaed yn gyff gwawd, yn ffŵl anghwrtais, yn
destun chwerthin i bawb.

77

TOMI:	Dyma un arall eto. Mi fydd yn Fedlam yma cyn bo hir.
MISS ELLIS:	A dyma fo, syr, y gŵr bonheddig yr ydym i gyd mor ddyledus iddo.
MEURIG:	Beth fedraf ei ddweud wrth un fel ef - rhyw grwt disynnwyr, anwybodus a than oed?
HENRY:	Rhyw lob dirmygedig nad yw'n werth ymresymu ag ef.
MISS ELLIS:	Ond digon cyfrwys a maleisus i gael hwyl am ben ein penbleth a'n problemau.
HENRY:	Corgi dideimlad.
MEURIG:	Yn berwi o gastiau ciaidd.
TOMI:	Ba! Rydw i'n barod i ymladd efo chi - y *ddau* ohonoch chi, un ar ôl y llall, - efo ffon.
MEURIG:	Amdano ef - nid yw'n werth sylw. Ond mae'ch ymddygiad chwi, Mr Henry, yn gofyn eglurhad. Gwyddech fy nghamgymeriad, ac ni fynnech fy narbwyllo.
HENRY:	A minnau mewn gwewyr oherwydd fy siomiant fy hun - ai dyma'r amser i hawlio eglurhad? Mae'r peth yn anghyfeillgar, Mr Meurig.
MEURIG:	Ond, syr -
MISS ELLIS:	Mr Meurig, ddaru ni ddim dechrau cuddio eich camgymeriad, nes ei bod eisoes yn rhy hwyr i'ch darbwyllo.
(Daw Gwas i mewn.) **GWAS:**	Mae Meistres yn gofyn ichwi baratoi ar unwaith. Mae'r ceffylau'n barod. Mae'ch het a'ch pethau yn y 'stafell nesa'. Rydan ni i deithio deng milltir ar hugain cyn y bore.

(Â'r Gwas allan.)

MISS ELLIS: Wel, wel: rwy'n dyfod y funud 'ma.

MEURIG: *(Wrth Henry)* Ai da y gwnaethoch, syr, yn helpu i wneud ffŵl ohonof? Fy ngwneud yn wrthrych gwawd i'm holl gydnabod? Cofiwch hyn, syr, byddaf yn disgwyl eich eglurhad.

HENRY: Ai da y gwnaethoch, syr (gan eich bod yn rhygnu ar y pwnc), i drosglwyddo'r gist a ymddiriedais i'ch gofal chwi, syr, i ofal rhywun arall?

MISS ELLIS: Mr Henry! Mr Meurig! Pam y mynnwch ychwanegu at fy nhrallod gyda'r ffrae ddisylfaen hon? Rwy'n crefu, rwy'n erfyn arnoch -

(Daw Gwas i mewn.)

GWAS: Eich mantell, madam. Mae meistres yn ddiamynedd.

(Â'r Gwas allan.)

MISS ELLIS: Rwy'n dyfod. Da chwi, boed heddwch rhyngoch. Os gadawaf chwi fel hyn, byddaf farw o bryder.

(Daw Gwas i mewn.)

GWAS: Eich ffan, eich *muff* a'ch menyg, madam. Mae'r ceffylau'n barod.

MISS ELLIS: O, Mr Meurig, pe gwyddech y fath garchar ac annifyrrwch sydd o'm blaen, rwy'n sicr y byddai eich digofaint yn troi'n dosturi'n ddi-oed.

MEURIG: Fe'm rhwygir gan y fath gymysgfa o deimladau; ni wn beth a wnaf. Maddeuwch imi, madam. George, maddau i mi. Gwyddost am fy nhymer nwydwyllt, ac ni ddylit ei waethygu.

HENRY: Dryswch poenus fy safle yw f'unig esgus.

79

MISS ELLIS:	Wel, Henry annwyl, os ydych yn meddwl cymaint ohonof ag y tybiaf eich bod, bydd eich ffyddlondeb i mi ers tair blynedd yn sicr o ddwysáu dedwyddwch ein cysylltiad yn y dyfodol. Os -
MRS HARRISON:	*(O'r ystafell arall)* Miss Ellis. Nesta, rŵan Nesta, dowch.
MISS ELLIS:	Rwy'n dyfod. Wel, ffyddlondeb, cofiwch, ffyddlondeb yw'r gair.

(Â allan.)

HENRY:	Fy nghalon! Sut y gallaf ymgynnal. Roeddwn mor agos i ddedwyddwch, a'r fath ddedwyddwch!
MEURIG:	*(Wrth Tomi)* Chwi welwch, ŵr ifanc, effeithiau eich ynfydrwydd. Mae'r hyn sy'n ddigrifwch i chwi, yn siom ac yn ofid i eraill.
TOMI:	*(Megis mewn breuddwyd)* 'Rhoswch, mae gen i gynllun. Dowch â'ch dwylo. Chi, a chitha', Mistar Pwdu! Hai, chi yna, fy 'sgidia i. Dowch i 'nghyfarfod i ymhen dwyawr yng ngwaelod yr ardd: ac os na ffeindiwch chi fod Tomi Wilkins yn llanc mwy rhadlon nag oeddach chi'n feddwl, mi rof ganiatâd ichi ddwyn fy ngheffyl gora' i, a Begw Baset yn y fargen! *Come-on!* Fy 'sgidia i; hai!

(Ânt allan.)

ACT V

Golygfa 1

Yr un olygfa.
Daw Henry a Gwas i mewn.

HENRY: Rydych yn dweud eich bod wedi gweld yr hen *lady* a
Miss Ellis yn cychwyn ymaith?

GWAS: Do, syr. Roeddan nhw yn y cerbyd post, a'r sgweiar
ifanc ar gefn ceffyl. Maen nhw ddeng milltir ar hugain i
ffwrdd erbyn hyn.

HENRY: Ac felly, mae fy holl obeithion ar ben.

GWAS: Ydyn, syr. Mae'r hen Syr Charles Meurig wedi
cyrraedd. Mae o a gŵr y tŷ wedi bod yn chwerthin ers
hanner awr am ben camgymeriad Mr Meurig ifanc. Mi
fyddan yn y 'stafell yma cyn pen chwinc.

HENRY: Mi gadwaf innau o'r golwg. Af i waelod yr ardd, yn ôl
y trefniant. Mae hi'n bur agos i'r amser.

(Â allan. Daw Syr Charles a Mr Harrison i mewn.)

MR HARRISON: Ha! ha! ha! Ac mor awdurdodol oedd o, yn lluchio
gorchmynion mawreddog o gwmpas.

SYR CHARLES: Ac mor gyndyn i dderbyn eich holl ymdrechion i fod yn
gyfeillgar!

MR HARRISON: Ac eto, fe ddylsa' fod wedi gweld rhywbeth amgenach
ynof na thafarnwr cyffredin.

SYR CHARLES: Wel, ie, Dic; ond fe'ch camgymerodd am dafarnwr er
hynny: ha! ha! ha!

81

MR HARRISON: Sut bynnag, rydw i mewn hwyl rhy dda i feddwl am ddim ond llawenydd. Ie, siŵr; bydd yr uno yma ar ein teuluoedd yn gwneud ein cyfeillgarwch personol yn fater o etifeddiaeth; ac er mai bychan yw cyfoeth fy merch -

SYR CHARLES: Beth, Dic, a ydych yn sôn am gyfoeth wrthyf *fi?* Mae fy mab yn fwy na chefnog eisoes: does arno ddim ond eisiau merch ifanc rinweddol i gyfranogi o'i hapusrwydd a'i helaethu. Os yw'r naill yn hoff o'r llall, fel y dwedwch eu bod -

MR HARRISON: *Os* - ddwetsoch chi? Rydw i'n dweud wrthych eu bod yn hoff o'i gilydd. Mae fy merch wedi dweud hynny wrthyf, i bob pwrpas.

SYR CHARLES: Ond mae'r merched, cofiwch, yn dueddol i gymryd golwg rhy ddisglair ar bethau.

MR HARRISON: Fe'i gwelais â'm llygaid fy hun yn gwasgu ei llaw yn y modd mwyaf serchog. A! dyma fo'n dŵad, mi wranta', i ddileu pob amheuaeth o'ch meddwl.

(Daw Meurig i mewn.)

MEURIG: Rwy'n dyfod, syr, unwaith eto, i ofyn eich maddeuant am f'ymddygiad rhyfedd. Ni allaf lai na chywilyddio wrth feddwl am fy hyfdra.

MR HARRISON: Twt, twt, fachgen, doedd o nac yma nac acw. Rydych yn poeni gormod. Wedi awr neu ddwy o chwerthin yng nghwmni fy merch, bydd popeth yn dda unwaith eto. Fydd hi'n meddwl dim mymryn llai ohonoch wedi'r cwbwl.

MEURIG: Syr, byddaf bob amser yn falch o'i chymeradwyaeth.

MR HARRISON: Gair digon oer ydi 'cymeradwyaeth', Mr Meurig. Os nad wyf yn camgymryd, mae 'na rywbeth *mwy* na chymeradwyaeth yn y peth. Ydach chi'n deall?

MEURIG:	Yn wir, syr, ofnaf nad wyf.
MR HARRISON:	Fachgen annwyl, dowch. Rydw i'n ddigon hen, ac mi wn be 'di be cystal â chi sy'n iau. Rydw i'n gwybod be sy wedi pasio rhyngoch chi, ond taw pia' hi.
MEURIG:	Yn sicr, syr, does dim wedi pasio rhyngom ond y parch dyfnaf o'm tu i, a'r gwyleidd-dra llwyraf o'i thu *hi*. Nid ydych yn tybio, syr, fy mod wedi arddangos hyfdra at bawb arall o'r teulu?
MR HARRISON:	Hyfdra! Na, nid wyf yn dweud hynny - nid hyfdra yn hollol - er bod genethod yn lecio ichi chwarae efo nhw, a'u gwasgu nhw hefyd, ambell dro. Ond doedd hi ddim yn dweud straes amdanoch, coeliwch fi.
MEURIG:	Ni roddais erioed achos iddi.
MR HARRISON:	Wel, wel, rydw i'n hoffi gostyngeiddrwydd yn burion - yn ei le. Ond actio, a gor-actio, ydi peth fel hyn, ŵr ifanc. Gellwch fentro bod yn ffri. Bydd eich tad a minnau'n falchach ohonoch o'r herwydd.
MEURIG:	Ond, pe trengwn, syr, ni wneuthum ddim -
MR HARRISON:	Rydw i'n deud wrthych: does ganddi ddim byd yn eich erbyn; rydach chitha'n hoff ohoni hi -
MEURIG:	F'annwyl syr, rwy'n protestio -
MR HARRISON:	Wela i ddim byd yn erbyn ichi briodi cyn gynted ag sy'n bosib'.
MEURIG:	Ond, gwrandewch, syr -
MR HARRISON:	Mae'ch tad yn cymeradwyo'r syniad; ac felly finna'. Mae pob munud o oedi yn niweidiol i'r achos. Ac felly -
MEURIG:	Ond, pam na wrandewch arnaf? Yn enw popeth sy'n

gyfiawn a da, nid wyf wedi dangos yr arwydd lleiaf o serch at Miss Harrison, dim *un* awgrym o gariad. Bu un sgwrs rhyngom, a honno'n ffurfiol, gwylaidd, ac anniddorol.

MR HARRISON: *(O'r neilltu)* Mae wyneb-galedwch gwylaidd y creadur hwn yn annioddefol.

SYR CHARLES: Ddaru chi ddim gafael yn ei llaw erioed, na gwneuthur unrhyw ddatganiadau?

MEURIG: Mae'r Nefoedd yn dyst: deuthum yma mewn ufudd-dod i'ch gorchymyn. Pan welais yr eneth, ni theimlwn unrhyw gyffro calon, ac nid oedd ymadael â hi yn dreth o gwbl arnaf. Gobeithio na cheisiwch brofi f'ufudd-dod ymhellach, na'm rhwystro rhag gadael y tŷ lle dioddefais gymaint o waradwydd.

(Â allan.)

SYR CHARLES: Ni allaf lai na synnu mor ddidwyll oedd tôn ei lais wrth ymadael.

MR HARRISON: Rwyf innau'n synnu at haerllugrwydd bwriadol ei ddatganiadau.

SYR CHARLES: Rwy'n barod i wystlo fy hoedl a'm hanrhydedd - ei fod yn dweud y gwir.

MR HARRISON: Dyma fy merch yn dyfod. Rwy'n barod i wystlo fy mywyd mai gwir a dd'wedodd hithau.

(Daw Miss Harrison i mewn.)

MR HARRISON: Tyrd yma, Kate, 'ngeneth i. Ateb yn gywir a heb flewyn ar dafod - a ddangosodd Mr Meurig unrhyw arwydd o serch a chariad tuag atat?

MISS HARRISON: Mae'r cwestiwn yn bur annisgwyl, syr. Ond gan eich bod yn gofyn am gywirdeb difloesgni - yr ateb yw, do.

84

MR HARRISON: *(Wrth Syr Charles)* Dyna chi.

SYR CHARLES: Dwedwch i mi, madam, a fu mwy nag un ymddiddan rhyngoch?

MISS HARRISON: Do, syr, amryw.

MR HARRISON: Dyna chi.

SYR CHARLES: Ond, ddaru o ddangos unrhyw hoffter atoch?

MISS HARRISON: Hoffter diamheuol.

SYR CHARLES: Soniodd o am serch?

MISS HARRISON: Do, beth wmbreth.

SYR CHARLES: Dyna beth rhyfedd! A hynny o ddifrif?

MISS HARRISON: O ddifri' calon.

MR HARRISON: Yn awr, gyfaill, rwy'n gobeithio eich bod yn fodlon.

SYR CHARLES: A sut yr oedd o'n ymddwyn?

MISS HARRISON: Yn union fel pob carwr arall: fe ddwedodd bethau suful am fy wyneb; fe bwysleisiodd ei annheilyngdod ei hun, a'm teilyngdod innau; soniodd am ei galon; gwnaeth araith fer, bruddglwyfus, a gorffen - i bob golwg - mewn ecstasi.

SYR CHARLES: Rwy'n siŵr yn fy meddwl, bellach. Canys gwn fod ei ymddiddan â merched yn ostyngedig a gwylaidd. Nid yw'r dull huawdl-ragrithiol hwn yn ddim byd tebyg iddo. Rwy'n sicr nad yw'r darlun yn cyfateb iddo o gwbl.

MISS HARRISON: Wel, syr, beth petawn yn trefnu praw' o'm didwylledd o flaen eich llygad? Os ewch chwi a 'nhad y tu ôl i'r sgrin yna, ymhen rhyw hanner awr, cewch ei glywed yn

85

datgan ei serch tuag ataf, yn ddigamsyniol.

SYR CHARLES: O'r gorau. Ac os caf fod eich disgrifiad ohono'n gywir - dyna ddiwedd i'm dedwyddwch ynddo.

(Â allan.)

MISS HARRISON: Ac os cewch fod y disgrifiad yn anghywir, ni bydd dechrau byth i'm dedwyddwch innau.

(Â allan.)

Golygfa 2

Yng nghefn yr ardd.
Daw Henry i mewn.

HENRY: Y fath ynfytyn ydwyf, yn disgwyl mewn lle fel hyn am greadur sy'n ymhyfrydu, mae'n debyg, mewn dwyn gwaradwydd arnaf. Ni fwriadai fod yn brydlon, ac nid arhosaf yn hwy. Ond beth a welaf? Ha, dacw fo! a hwyrach fod ganddo newydd da am Nesta.

(Daw Tomi i mewn, mewn gwisg farchogaeth, ac yn faw i gyd.)

HENRY: Fy sgweiar gonest! Cadwasoch eich gair! Dyma rywbeth tebyg i gyfeillgarwch.

TOMI: Ie, eich cyfaill yn siŵr ddigon, a'r gorau sy' gennych yn y byd - pe gwyddech y cwbwl. Ond gwaith blinderus drybeilig, gyda llaw, ydi marchogaeth yn y twllwch: ie, gwaeth hyd yn oed na theithio ar dop y goets fawr.

HENRY: Ond dwedwch, ymhle y gadawsoch eich cyd-deithwyr? A ydynt yn ddiogel?

TOMI: Tydi pum milltir ar hugain mewn dwyawr a hanner, ddim yn sioe sâl. Mae'r ceffyla' druan yn mygu o chwys; mi fasa'n well gen i farchogaeth ddeugain milltir ar ôl llwynog na deg efo'r fath gwmni melltigedig.

HENRY: Ond ble gadawsoch chi'r merched? Rwyf bron marw o bryder.

TOMI: Eu gadael nhw? Wel ble gadawn i nhw ond lle ces i nhw?

HENRY: Rydych yn siarad ar ddamhegion.

TOMI: Wel damhegwch hyn imi. Be sy'n mynd rownd y tŷ, a rownd y tŷ, a byth yn taro ar y tŷ?

HENRY:	Rwyf eto ar goll.
TOMI:	Wel ie, dyna fo, fachgen. Mi es â nhw ar goll. Myn coblyn i, does na'r un gors na'r un siglen o fewn pum milltir i'r lle 'ma nad ydyn nhw wedi cael blas ohonyn nhw.
HENRY:	Ha! ha! ha! Rwy'n deall. Aethoch â hwy amgylch ogylch, a hwythau'n meddwl eu bod yn teithio'n syth ymlaen ac felly, o'r diwedd daethoch â hwy adref yn ôl.
TOMI:	Mi ddeuda' ichi. Yn gynta, mi es â nhw i lawr y Lôn Bluog, ac aethom yn sownd yn y clai. Wedyn, gyrrais nhw'n glec dros gerrig yr Allt Ddu. Ac wedyn heibio i'r grocbren ar dop Rhos y Lladron; ac oddi yno - igam-ogam - dois â nhw i'r llyn chwyaid yng ngwaelod yr ardd.
HENRY:	Ond yn ddiddamwain gobeithio.
TOMI:	O ie, ond mae mam wedi dychryn am ei bywyd. Mae hi'n meddwl 'i bod hi ddeugain milltir i ffwrdd, ac wedi laru ar y siwrnai. Ac am y ceffyla', fedran nhw brin symud. Felly, os ydi'ch ceffyla' chi'n barod, gellwch roi clec ar y chwip a dianc efo'm c'nither; mi wranta' nad oes 'ma 'run enaid byw fedar symud troed i'ch dilyn.
HENRY:	Gyfaill annwyl, sut y gallaf ddiolch ichi?
TOMI:	Ie, siŵr, cyfaill annwyl ydw i rŵan, onid e? Gynnau, roeddwn i'n benbwl ac yn gorgi - i roi cledda' trwy 'i berfadd. Wfft i'ch ffordd chi o ymladd, ddeuda i. Wedi cael cnoc yn y rhan yma o'r wlad, rydym ni'n cusanu a bod yn ffrindia'. Ond tasach chi wedi rhoi cledda' trwy 'mherfadd i, mi faswn wedi marw, a chithe'n rhoi cusan i'r hangman.
HENRY:	Mae'r cerydd yn gyfiawn. Ond rhaid imi frysio i achub Miss Ellis. Os cadwch *chi'r* hen *lady* yn brysur, fe edrychaf fi ar ôl y ferch ifanc.

(Â Henry allan.)

TOMI: Popeth yn dda. Dyma hi'n dŵad. Diflannwch. Mae hi wedi dŵad allan o'r llyn, ac yn wlyb at 'i chanol fel môr-forwyn.

(Daw Mrs Harrison i mewn.)

MRS HARRISON: O! Tomi, rydw i'n marw. Wedi fy 'sgytian i farwolaeth. Fydda i ddim byw yn hir. Mae'r codwm dwytha' na wedi 'ngorffen i.

TOMI: Yr achlod, mam bach, arnach chi roedd y bai. Eisio rhedeg i ffwrdd ganol nos heb wybod dim am y ffordd.

MRS HARRISON: Mi fydda'n dda gen i gael bod adre' unwaith eto. Ches i 'rioed gymin o ddamweinia' ar siwrna' mor fer. Cael fy nhaflu i'r llaid, fy lluchio i'r ffos, fy nghladdu mewn cors, fy sgytian yn ddarnau, ac yn y diwedd, colli'r ffordd. Ble'r wyt ti'n meddwl yr ydan ni, Tomi?

TOMI: Mi faswn i'n tybio'n bod ni ar gwr Gwaun y Benglog, rhyw ddeugain milltir oddi cartra'.

MRS HARRISON: O, diar, diar! Y lle perycla'n yr holl wlad; does dim ond eisio lleidar-pen-ffordd i roi pen ar y mwdwl.

TOMI: Peidiwch ag ofni, mam; peidiwch ag ofni ... Ai dyn ydi nacw sy'n carlamu tu ôl i ni? Na! does na ddim ond coedan. Peidiwch ag ofni.

MRS HARRISON: Mae'r dychryn 'ma'n siŵr o'm lladd i.

TOMI: Oes 'na rywbeth tebyg i het ddu yn symud yn y drysni?

MRS HARRISON: O, angau!

TOMI: Na, buwch sydd 'na. Peidiwch â dychryn, mam. Peidiwch â dychryn.

89

MRS HARRISON:	Gwarchod fy 'nghalon i, Tomi, dacw ddyn yn dŵad tuag aton ni. Ie, ar fy ngwir. Os gwêl o ni, mae hi ar ben arnom.
TOMI	*(O'r neilltu)* Fy llystad, ar un o'i deithia' nos. *(Wrthi hi)* O! lleidar-pen-ffordd, a phistol cyn hired â mraich i! Creadur hyll ofnadwy.
MRS HARRISON:	Y Nefoedd a'n gwaredo! Mae o'n nesu atom.
TOMI:	Ewch i guddio tu ôl i'r goedan 'cw, a chadwch rhyngo' fi a fo. Os bydd 'na unrhyw beryg', mi besycha', a gweiddi 'hm'. Os clywch chi fi'n pesychu, swatiwch am eich bywyd. *(Mae Mrs Harrison yn ymguddio tu ôl i'r goeden, yn y cefn.)*

(Daw Mr Harrison i mewn.)

MR HARRISON:	Rwy'n siŵr imi glywed lleisia' pobl mewn trybini. O, Tomi, ai ti sy' 'ma? Doeddwn i ddim yn dy ddisgwyl yn ôl mor fuan. Ydi dy fam a Nesta'n ddiogel?
TOMI:	Yn ddiogel iawn, syr, gyda modryb Emily. Hm! *(Peswch.)*
MRS HARRISON:	*(O'r cefn):* O! angau! Mae peryg', mi wela'.
MR HARRISON:	Deugain milltir mewn teirawr; roedd hynny'n ormod, lanc ifanc.
TOMI:	Mae ceffyla' da ac ysbryd ewyllysgar yn byrhau siwrna', fel y dwedir. Hm! *(Peswch.)*
MRS HARRISON:	*(O'r cefn):* Siawns gen i na wnaiff o ddim niweidio'r hogyn.
MR HARRISON:	Ond mi glywais lais yn rhywle. Mi hoffwn wybod o ble.

TOMI: Fi oedd yn siarad efo fi fy hun, syr. Rown i'n dweud bod deugain milltir mewn pedair awr yn goblyn o deithio. Hm! Oedd ar fy ngwir. Hm! Rydw i wedi cael annwyd neu rywbeth ar y siwrnai. Gwell inni fynd i'r tŷ, syr, os gwelwch chi'n dda. Hm! *(Peswch.)*

MR HARRISON: Ond os daru ti siarad â thi dy hun, nid chdi ddaru ateb. Rwy'n siŵr imi glywed dau lais, ac rwy'n benderfynol *(yn codi ei lais)* o ddarganfod y llall.

MRS HARRISON: *(O'r cefn)* O! mae o am fynnu cael hyd imi. O!

TOMI: Pam rhaid ichi fynd, syr, a finna'n deud wrthych chi. Hm! Mi ro 'mywyd i lawr dros y gwir. Hm! Mi ddweda ichi'r cwbwl, syr.

(Yn ei atal.)

MR HARRISON: Rwy'n dweud wrthat ti, chymera i mo fy rhwystro. Mae'n rhaid imi gael gweled. Waeth iti heb ddisgwyl imi dy goelio.

MRS HARRISON: *(Yn rhedeg ymlaen o'r cefn)* O diar! mae o'n siŵr o fwrdro fy machgen i. Hai ddyn da, tywelltwch eich cynddaredd arnaf fi. Cymerwch fy arian a fy mywyd, ond sbariwch yr hogyn bach: sbariwch fy mhlentyn, os gwyddoch beth yw trugarhau.

MR HARRISON: Fy ngwraig! cyn sicred â mod i'n Gristion. O ble galla' hi fod wedi dod? Beth yw ystyr hyn?

MRS HARRISON: *(Ar ei gliniau)* Tosturiwch wrthym, Mr Lleidr. Cymerwch ein harian, ein cyfoeth, popeth a feddwn, ond sbariwch ein bywydau. Wnawn ni byth roi'r gyfraith ar eich cefn, na wnawn yn wir, Mr Lleidr annwyl.

MR HARRISON: Yr argian fawr, mae'r ddynes o'i phwyll. Beth, Dorothy, ydach chi ddim yn fy 'nabod i?

MRS HARRISON: Mr Harrison, 'tawn i byth o'r fan 'ma! Rown i wedi dychryn gormod i'ch 'nabod. Ond pwy, neno'r tad, fasa'n disgwyl eich gweld *chi* yn y lle ofnadwy 'ma, mor bell oddi cartref? Beth wnaeth ichi ddod ar ein holau?

MR HARRISON: Twt, twt, Dorothy, ydach chi wedi colli'ch synhwyra'? Pell oddi cartref, a chitha' o fewn hanner canllath i ddrws eich tŷ? *(Wrth Tomi)* Un o'th hen gastiau di, y cena' drwg ydi hyn. *(Wrthi hi)* Ydach chi ddim yn 'nabod y llidiart, a'r goeden eirin, a'r llyn chwyaid, deudwch?

MRS HARRISON: O! mi gofia'r llyn chwyaid tra bydda' i byw. Mae o wedi bod yn angau i mi. *(Wrth Tomi)* Ai ti, y cnaf di-werth, sy'n gyfrifol am hyn? Mi ddysga i di i gam-drin dy fam, yr hen walch ag wyt ti.

TOMI: Wel, mam, mae pawb yn deud mai chi sydd wedi fy sbwylio; ac felly, rhaid ichi ddiodde'r canlyniada'.

MRS HARRISON: Mi *gei* di dy sbwylio, 'machgen i.

(Yn ei ddilyn oddi ar y llwyfan.)

MR HARRISON: Mae synnwyr yn ei eiriau, wedi'r cwbwl.

(Â allan. Daw Henry a Miss Ellis i mewn.)

HENRY: Fy Nesta annwyl, pam yr holl betruso? Os oedwn yn hwy, bydd popeth ar ben am byth. Penderfynwch fod yn ddewr, a buan iawn y byddwn allan o gyrraedd ei dial maleisus.

MISS ELLIS: Mae'r peth yn amhosibl. Rwyf mor wan-galon wedi'r holl helyntion a brofais, ni allaf feddwl am wynebu rhagor o beryglon. Gadewch inni fod yn amyneddgar am flwyddyn neu ddwy; rydym yn siŵr o gyrraedd hapusrwydd yn y diwedd.

HENRY:	Byddai'r fath oedi poenus yn waeth nag anffyddlondeb. Gadewch inni ddianc Nesta. Dechreued ein hapusrwydd y funud hon. Melltith ar gyfoeth. Mae cariad a bodlonrwydd yn rhagorach cynhysgaeth na golud teyrnasoedd, coeliwch fi.
MISS ELLIS:	Na, Mr Henry, na. Daw pwyll i'm helpu unwaith eto, ac ufuddhaf i'r cynghorion. Hawdd dirmygu cyfoeth mewn moment o deimlad; ond y ffrwyth bob amser yw edifeirwch maith. Rwyf wedi penderfynu apelio at dosturi Mr Harrison am chwarae teg.
HENRY:	Ond ni allai ef eich helpu, hyd yn oed pe dymunai.
MISS ELLIS:	Mae ganddo gryn dipyn o ddylanwad, ac ar hynny y dibynnaf.
HENRY:	Ni welaf unrhyw obaith. Ond gan eich bod yn benderfynol, mae'n rhaid cydsynio.

(Ânt allan.)

Golygfa 3

Yr un peth â Golygfa 1.
Daw Syr Charles a Miss Harrison i mewn.

SYR CHARLES: Y fath bicil yr wyf ynddo! Os chwi sy'n iawn mae gennyf fab anonest. Os dwedodd ef y gwir, mi gollaf yr eneth a chwenychais yn ferch-yng-nghyfraith.

MISS HARRISON: Rwy'n falch o'r ganmoliaeth, ac i ddangos fy mod yn ei haeddu - os ymguddiwch, fel yr awgrymais, cewch glywed ei gyffes ddigamsyniol. Dyma fo'n dod.

SYR CHARLES: Af at eich tad, a gwneud iddo gadw'i gyhoeddiad.

(Â Syr Charles allan. Daw Meurig i mewn)

MEURIG: Er fy mod yn barod i gychwyn ymaith, rwy'n dyfod unwaith eto i ganu'n iach; ac ni wyddwn hyd yn awr fod ymwahanu yn beth mor boenus imi.

MISS HARRISON: *(Yn ei dull naturiol ei hun)* Wel, ni all poen sydd mor hawdd ei symud fod yn boen mawr iawn. Gall diwrnod neu ddau arall leihau eich gofid trwy ddangos mor ddibwys yw'r hyn y tybiwch ar hyn o bryd yn werth poeni'n ei gylch.

MEURIG: *(O'r neilltu)* Mae'r eneth hon yn ennill f'edmygedd fwy a mwy. *(Wrthi hi)* Mae'r peth yn amhosibl, madam. Rwyf eisoes wedi bod yn rhy ddibris o'm serch. Mae hyd yn oed fy malchder yn dechrau ildio i'm teimladau. Mae'r gwahaniaeth addysg a chyfoeth, dicter tad a dirmyg fy nghymheiriaid, yn dechrau colli eu grym; ac ni all *dim* fy adfer i'r hyn oeddwn *ond* fy mhenderfyniad poenus i geisio mynd ymaith.

MISS HARRISON: Os felly, syr, ewch. Ni cheisiaf eich atal. Er bod fy nheulu cystal â theulu'r hon y daethoch yma i'w chyfarfod, a'm haddysg, gobeithio, gyfuwch â'r eiddo hithau - pa werth yw'r manteision hyn a minnau heb y cyfoeth sydd ganddi hi? Rhaid i mi fodloni ar y tipyn canmoliaeth i'm teilyngdod tybiedig. Rhaid i mi ddygymod â'ch datganiadau ffug, gan fod eich holl fwriadau cywir ynghlwm wrth gyfoeth.

(Daw Mr Harrison a Syr Charles i mewn o'r tu cefn.)

SYR CHARLES: Awn tu ôl i'r sgrin 'ma.

MR HARRISON: Ie, ie; a heb wneud sŵn. Mae Kate yn siŵr o'i chyfiawnhau ei hun.

MEURIG: Credwch fi, Madam, cyfoeth yw'r peth lleiaf yn fy ngolwg. Eich prydferthwch a'm daliodd gyntaf: canys pwy fedrai ganfod hwnnw heb gyffroi? Ond bob tro y siaradaf â chwi, daw rhyw newydd wyrth i'r golwg i addurno'r darlun, a chryfhau'r argraff. Mae'r hyn oedd ar y cyntaf yn blaendra yn fy ngolwg, yn awr yn fireindra cain. Mae'r hyn a dybiwn yn hyfdra noeth, yn awr yn fy nharo fel ffrwyth diniweidrwydd di-ofn a rhinwedd cywir.

SYR CHARLES: Beth yw'r esboniad? Rwy'n rhyfeddu at ei eiriau.

MR HARRISON: Yn union fel y dwedais wrthych. Ond ust!

MEURIG: Rwy'n awr yn benderfynol o aros, madam: ac y mae gennyf feddwl rhy uchel o graffter fy nhad - pan wêl o chi - i amau'r canlyniad. Mae o'n sicr o'ch cymeradwyo.

MISS HARRISON: Na, Mr Meurig, nid wyf am eich atal. A dybiwch chwi y gallwn oddef cysylltiad ac ynddo'r mymryn lleiaf o le i edifeirwch? A dybiwch chwi y manteisiwn ar frwdfrydedd munud awr - i'ch llwytho ag ansicrwydd? A dybiwch chwi y medrwn fwynhau dedwyddwch a sicrhawyd trwy gwtogi ar yr eiddoch chwi?

MEURIG:	Yn enw pob daioni, ni chaf unrhyw ddedwyddwch byth, ond a roddir imi gennych *chwi*. Ac nid edifarhaf am ddim byd byth ond am na welais eich teilyngdod yn gynt. Mi arhosaf yma hyd yn oed yn groes i'ch ewyllys: ac er i chwi barhau i'm gwrthod, mi wnaf iawn, trwy ddyfalbarhad cariadlon, am fy niffyg difrifwch yn y gorffennol.
MISS HARRISON:	Syr, rwy'n erfyn arnoch i ymatal. Gadewch i'n cyfathrach derfynu, fel y dechreuodd mewn claerineb. Gallaswn fod wedi mentro awr neu ddwy o ddifyrrwch diniwed; ond o ddifrif Mr Meurig, a dybiwch chwi y gallwn oddef cysylltiad lle byddwn i yn ariangar, a chwithau yn annoeth? A dybiwch chwi y medrwn byth neidio at gynigion hyderus edmygydd gor-ffyddiog?
MEURIG:	*(Ar ei liniau)* A yw hyn yn or-ffyddiog? A oes hyder yn hyn? Na, madam, mae pob eiliad o weld eich teilyngdod yn dwysáu fy mhryder a'm diffyg ffydd. Gadewch imi aros yn y fan hon -
SYR CHARLES:	Ni allaf ddal yn hwy. Charles, Charles, y fath dwyll. Ai dyma'ch claerineb, a'ch sgwrsio anniddorol?
MR HARRISON:	Eich dirmyg oer, eich ymddiddan ffurfiol! Beth sydd gennych i'w ddweud yn awr?
MEURIG:	Rwy'n llawn o syndod hurt? Beth all hyn ei olygu?
MR HARRISON:	Golyga y gallwch ddeud a gwrthddweud yn ôl eich mympwy; y gallwch gyfarch boneddiges yn breifat, a gwadu'r peth yn gyhoeddus, y gallwch ddweud *un* stori wrthym ni, a deud un *arall* wrth fy merch.
MEURIG:	Eich merch! Y foneddiges hon yn ferch i *chwi!*
MR HARRISON:	Ydi, syr, fy unig ferch - Kate; a merch pwy arall all'sai hi fod?
MEURIG:	Y Nefoedd fawr!

MISS HARRISON: Ie, syr, y ferch ieuanc dal, lygad croes honno - yn ôl eich disgrifiad chwi ohonof: *(yn rhoi cyrtsi)* yr eneth y buoch yn ei chyfarch yn null gŵr ieuanc tawel, gwylaidd, gyda difrifwch sentimental, *ac* yn null Rwdlyn siriol, di-swildod y *Ladies Club.* Ha! ha! ha!

MEURIG: Beth? Mae hyn yn annioddefol! Mae'n waeth nag angau!

MISS HARRISON: Ym mha un o'r ddau gymeriad, syr, y cawn ganiatâd i'ch cyfarch. Fel y bonheddwr swil, petrus, a'i lygaid tua'r llawr a'i eiriau prin a'i gasineb at ragrith, - ynteu fel y llanc huawdl-hyderus sy'n dal pen rheswm â Mrs Mantrap a Mrs Buckskin tan dri o'r gloch y bore? Ha! ha! ha!

MEURIG: O, melltith ar fy mhen ynfyd. Ni fedrais erioed geisio bod yn hunan-hyderus heb gael fy nhynnu i lawr. Rhaid imi fynd.

MR HARRISON: Na, myn f'einioes i. Chewch chi ddim. Mi welaf mai camgymeriad oedd y cyfan, ac mae'n dda gennyf am hynny. Chewch chi ddim, meddaf wrthych. Mi wn y bydd Kate yn barod i faddau ichi. Oni fyddi, Kate? Ymwrolwch fachgen.

(Ânt ymaith: hi yn herian arno, tua'r cefn. Daw Mrs Harrison a Tomi i mewn.)

MRS HARRISON: O, maen nhw wedi mynd? Felly'n wir. Wel, dim ots gen i.

MR HARRISON: Pwy wedi mynd?

MRS HARRISON: Fy mharchus nith a'i bonheddwr, Mr Henry: y llanc ddaeth yma gyda'r gwylaidd Mr Meurig.

SYR CHARLES: Pwy, y cyfaill George Henry? Gŵr ifanc rhagorol, ac ni all'sai'r eneth wneud doethach dewis.

MR HARRISON: Ac felly, myn f'einioes i, rwy'n falch o'r berthynas.

MRS HARRISON:	Wel, os aeth â'r ferch ifanc ymaith, nid yw wedi mynd â'i chyfoeth. Mae hwnnw'n aros yn iawndal i'r teulu.
MR HARRISON:	Twt, Dorothy, tydach chi ddim mor grafanglyd â hynny, gobeithio.
MRS HARRISON:	Fy musnes i, nid eich busnes chi, ydi hynny.
MR HARRISON:	Ond fe wyddoch yn dda; os bydd eich mab, pan ddaw i'w oed, yn gwrthod priodi ei gyfnither, mae'r cyfoeth yn mynd yn ôl i'w meddiant hi.
MRS HARRISON:	Ia, ond tydi o ddim wedi dŵad i'w oed, a thydi hitha' ddim wedi gweld yn dda i aros i gael ei gwrthod.

(Daw Henry a Miss Ellis i mewn.)

MRS HARRISON:	*(O'r neilltu)* Beth! Wedi dychwelyd mor fuan! Tydw i ddim yn *lecio* hyn.
HENRY:	*(Wrth Mr Harrison)* Am fy nghais gynnau i ddianc gyda'ch nith, boed fy ngwaradwydd presennol yn gosbedigaeth arnaf. Daethom yn ôl i apelio nid at eich tegwch ond at eich dynoliaeth. Cawswn ganiatâd ei thad i siarad â hi ar y cyntaf, ac yr oedd ein serch yn y dechrau yn fater o ddyletswydd.
MISS ELLIS:	Wedi marw fy nhad, bu'n rhaid i mi droi i ragrithio er mwyn osgoi gormes. Mewn awr ddifeddwl mi benderfynais aberthu fy nghyfoeth er mwyn bod yn rhydd i ddewis yn ôl fy serchiadau. Ond rwy'n awr wedi deffro o'm breuddwyd, ac ar bwys eich caredigrwydd chwi rwy'n gobeithio cael gafael ar y pethau a gedwir oddi wrthyf gan berthynas agosach.
MRS HARRISON:	Twt, lol botes. Mae hyn yn rhy debyg i ddiwedd sentimental rhyw nofel ddiweddar.
MR HARRISON:	Wel, beth bynnag ydi o, rwy'n falch eu bod wedi dod yn ôl i hawlio'r hyn sydd eiddynt. Tyrd yma, Tomi,

'machgen i. Wyt ti'n gwrthod yr eneth yr wyf yn ei chynnig i ti'n awr?

TOMI: Pa iws gwrthod? Fe wyddoch na *fedra i* mo'i gwrthod hi nes bod yn un ar hugain oed.

MR HARRISON: Wel, bûm yn credu am dipyn y buasai d'oed ti yn rhoi cyfle iti wella, a chytunais â dymuniad dy fam i gadw cyfrinach. Ond gan ei bod hithau bellach yn gwneud camddefnydd o'r peth, mae'n rhaid imi'n awr gyhoeddi dy fod *wedi cyrraedd* un ar hugain oed ers tri mis.

TOMI: *Wedi* 'i gyrraedd? Wedi cyrraedd un ar hugain?

MR HARRISON: Wyt, ers tri mis.

TOMI: O'r gora'; cewch weld y defnydd cyntaf a wnaf o'm rhyddid. *(Yn cymryd llaw Miss Ellis)* Boed pawb sy'n bresennol yn awr yn dystion fy mod i, Tomi Wilkins, Ysgweiar, o'r lle hwn, yn eich *gwrthod* chwi, Nesta Ellis, o ddim lle'n y byd, fel fy ngwir gyfreithlon wraig. Ac felly, caiff Nesta Ellis briodi y neb a fynno, ac y mae Tomi Wilkins yn ddyn rhydd.

SYR CHARLES: O, sgweiar campus!

HENRY: Fy nghyfaill rhagorol!

MRS HARRISON: Fy epil anniolchgar!

MEURIG: Llongyfarchiadau, George. Dymunaf ichwi bob dedwyddwch. Pe gallwn innau berswadio fy nheirant fach hon i fod yn llai anhyblyg, myfi fyddai'r dyn hapusa'n y byd - pan longyfarchech fi'n ôl.

HENRY: *(Wrth Miss Harrison)* Dowch, Madam; dyma chi'n awr wedi cyrraedd golygfa olaf eich holl ddyfeisiadau. Gwn eich bod yn hoff ohono. Mae yntau, mi wn, yn eich caru chwi; ac mae'n rhaid i chwi ei dderbyn.

MR HARRISON: *(Yn gosod eu dwylo ynghyd)* Rwyf innau'n dweud hynny hefyd. Ac ar fy ngwir, Mr Meurig, os bydd hi gystal gwraig ag yw hi o ferch, nid wyf yn tybied y cewch byth achos i edifarhau. Yn awr am swper. Yfory cawn alw ynghyd holl dlodion y plwyf, a choroni camgymeriadau'r noson â llawen chwedl y bore. Felly, syr, cymerwch hi; ac os gwnaethoch gamgymeriad ynglŷn â'r gariadferch, fy nymuniad yw, na thybiwch byth ichwi wneud camgymeriad ynglŷn â'r wraig.

(Â pawb allan.)

Argraffwyd gan Y Lolfa